竹本忠雄

未知よりの薔薇

第二巻 出遊篇

勉誠社

未知よりの薔薇　第二巻 出遊篇

目次

第五章

第六章　「声」との対話

カバーデザイン――橋場信夫
カバー写真――ダニエル・セール
表紙デザイン――大岡亜紀
画像データ管理――山﨑誠一

第一章　彼岸（オードラ）

プチ・パレ宮の散華

金色の兜を煌めかせた儀仗兵の居流れるなか、文化相マルローと薬師寺の橋本凝胤管主を先頭に招待客が階段を昇りはじめると、上方のテラスの僧侶団から声明（しょうみょう）のコーラスが起こり、散華の吹雪が舞った。美術展の会場へと向かうその一団に混じって私は、入口に高々と掲げられた横断幕を見あげて衝撃を受けていた。

《日本芸術七千年の中の彼岸》展

とあったのだ。

「彼岸」とは、云い切ったり――。

日本では考えられない発想だ。縄文土器から平安・鎌倉の仏像を経て近世の禅画に至るまで「七千年」の造型傑作を集めて、「彼岸」の一語を冠するとは！　のちに朝日新聞社顧問の衣奈多喜男（えなたきお）氏――《ミロのヴィーナス展》と《ツタンカーメン展》の実現で二度の朝日賞を受賞した大功労者――から聞いたところによれば、大臣室でマルローは、彼の面前でペンを取り、自ら主宰したこの大展覧会の題名をそのように書きこんだとのことである。

「彼岸」とは、フランス語では「オードラ」という。定冠詞をつけて「ロードラ」

(l'au-delà)と、響きがいい。いかにも、それを信ずるがゆえにその言葉があるといった感じがする。英語で「アナザー・ワールド」と云ったのではぜんぜんこの感じが出ない。どこから違いが来るのだろうか。やはり、カトリックとプロテスタントの違いだろうか。

出光佐三氏主宰の「仙崖巡回展」に随行して、まずイギリス、オランダに回り、そのあと漸くパリ入りしたこともあって、私は、散華の花ふぶきを受けながら、こういう言霊の幸わう国へ来たのだと、喜びを嚙みしめていた。

「魂の相互浸透」を実践すると文化相マルローは東京の日仏会館で大見得を切ったが、それが空手形でない証拠に、こうして自ら陣頭に立って着々と布石を打っていた。一九六三年九月、文化の秋に先駆けての大展覧会で、題名からして意気ごみが伝わってくる。《日本芸術七千年の中の彼岸》展といえば、そこに問いがある。これが日本側の命名では、役所の書類から生まれたような素っ気ない《日本古美術展》となって、何の面白味もない。いっぽう、フランス側では、マルローあればこそだが、「日本芸術における彼岸とは何か？」という本質的問いを真っ向から打ち出してきたのである。

しかも豊富な出品作の実に三分の二を禅画が占め、これまた大冒険であった。その決定にマルローはわざわざ盟友の画家バルテュスを日本に走らせて、展覧品をリストアップさせる労をとっていた。つまり、フランス人の側で、しかも画家の眼で選んでいる。こういった事情を知らないものだから、日本では一部にこれがスキャンダルとなって、パリで出喰わした大和絵の専門家、秋山光和氏から私は「あなたが仕組んだのですか」と、あらぬ疑いをかけられることさえあった。

一介の留学生にすぎない自分ごとき、そんなご大層なことが仕組めるはずがない。

西洋的合理へのアンチテーゼとして、「ゼン」が、花の都パリの真ん中まで浸透しつつある最中だった。ユングやマルローのような巨匠に共感され、かつ前衛芸術家たちに歓呼されて、想像世界と創造世界の両方にまたがって「ゼン・アート」は文明のヌーベルバーグを形作ろうとしていた。

それにしても、パリ到着早々、プチ・パレ宮で散華を受けるとは、吉兆であった。以後長きにわたって、フランス政府の催事にしばしば特別招待される恩恵に浴することとなった。ル・コルビュジエの国葬は、わけても忘れがたい。夜をこめて、ルーヴル宮殿の中庭でそれは挙行された。「アクロポリスの土とガンジスの水を供えた棺を前に」、地上から星空へと投げられた二筋のライトの光条に添って、あの震えるマルローの声音の立ち昇るのを聞いた。

ちなみに、政府主催行事への招待状に記載された「ストリクトマン・ペルソネル」(厳密に御一名様かぎり)という添え書きには、いつも私は考えさせられるものがあった。いつか、あの世行きの切符に、こんな文字が記されているのかなと、あらぬことを考えて。ストリクトマン・ペルソネル――たしかに、心中でもするのでないかぎり、厳密に御一名様かぎりで人は逝く……


ある国が旭日昇天の勢いにあるときにその場に居合わせるとは幸せなことである。明治時代に開国日本の盛運を目のあたりにした紅毛人は、さぞやそんな気分を味わったに違いない。小泉八雲の作品にはそのような感動が流露している。

フランス第五共和国は、創建からまだ三年が経ったばかりだった。ヴェトナム戦争、アルジェリア戦争の大厄を払い落として、疲弊しきった祖国を文化から立て直そうとするド・ゴール+マルローの姿勢には、崇高な気迫が感じられた。パリに入るまえにロンドンで煤けて真っ黒になった建物ばかりを見てきた私の目に、通称「マルロー法」の名のもとに一斉に洗浄を始めたパリの町々は、きのう生まれたかと思われるばかりに眩しく映った。「大聖堂が白かったとき」というル・コルビュジエの著書の題名が新たな意味を帯びて思い浮かんだ。

美しくなければ文化でない、都市でない、いのちでない。が、そこに何らかの奥行きというものがなければ、美はただ虚しさの同義語となるだけだろう。第五共和国生誕のさなかに、ド・ゴール将軍がマルローに宛てた、あの切々たる書簡を私は忘れたことがなかった。この両雄が轡（くつわ）を並べて切り開きつつある黄金の十年間の光芒は、地平線上四十五度の角度に昇り龍の勢いで昇る若い太陽の輝きともみえた。どのように今後その輝度を増していくか、偉大な一文明の興隆の場に自分は居合わせているのだと、胸は躍った。

ジャン・グルニエの家

およそ最も西洋人らしからぬ人を師と仰ぐために、私はフランスまで来たのであろうか。目のまえに現れたその人は、どう見ても東洋の隠者だった。「ブルトン」（ブルターニュ州人）の特徴であろうか、ずんぐりした背格好で、頭も坊さんのようにほとんどつるつるである。しかし、丸みがかったその顔は、瞑想の習性を思わせて静謐であった。ソルボンヌで博士論文の指導教官をもとめて辿り着いたのが、美学主任教授ジャン・グルニエ教授だった。べつに美学そのものを勉強したかったわけではない。自分の関心事を受け容れてくれそうな師匠を探して、文学、宗教学、哲学……と順に門を叩いて回り、最後にある美学の助教授に会って相談したところ、それなら打ってつけの先生がいるといって告げられた名が、ジャン・グルニエ先生だったのである。

その名は私にとって初耳だった。哲学者、作家としての名声を知ったのは後のことだ。何よりエッセイ集『孤島』の著者であり、この書によってアルジェのリセー教師時代の教え子、アルベール・カミュは文学的開眼をほどこされたというのに、そんな伝説さえ知らなかったのだから、呑気なものである。それでも辛うじて『NRF』誌に連載中のグルニエのエッセイ――「創造のアスペクト」――は読んでいたので、その感想を交えて手紙を出したところ、訪問を許されたのだった。

道の師をもとめて門を叩いて回ることは、古来、学徒としては当然のことである。しかし、外目にはそうは映らなかったらしい。こうして辿り着いた師匠が、たまたま美学の主任教授だったというにすぎないのに、いつか、そのことが、日本の批評家仲間の間では、「ソルボンヌで美学をお勉強のお坊ちゃん」と嘲笑の対象となっているとの噂が伝わってきた。日本で禅門に入ったときに「あいつは禅の亜流をつくろうとしている」と揶揄されたことを思いだした。故国を長く離れている間にこうした誤解が徐々に大きな距離をつくっていく結果になることを、しかし、当時の自分は予想する由もなかった。

「ソー線」という郊外電車に乗ってグルニエ教授との面会に向かった。二十分ほどで、ブール・ラ・レーヌ駅で降りた、
人家も疎らな閑静な一画にグルニエ邸はあった。家は住む人を表すという。のちに私はマルローをその隠棲先に足繁く訪ね、いかにもそこはマルロー然とした歴史的城館――ジャンヌ・ダルクゆかりの――であることに感じ入ったものである。反対に、グルニエ邸では、何もかもが自然的なのだった。秋草の乱れ咲く庭は、お世辞にも「ガーデニング」に趣味のある人の棲み家とは見えない。ベルを鳴らすと、散り敷いた落ち葉を踏んで、錆びた鉄柵を開けて現れた人物は、京都の洛外の古寺でぱったり出くわしても不思議はなさそうな、枯れた僧形の趣きを持っていた。

招じ入れられたサロンは、天井に黒光りする梁がうねった、素朴な田舎家風の小部屋だった。そこかしこの壁にキャンヴァスが架かっている。が、かろうじて「絵」といえるかどうかといった感じ。ほとんど白一色で描かれ、しかもどれも額縁がない。まるで白壁の延長のようだ。マドレーヌというお嬢さんの作品とか。

マダムに紹介される。これまた「教授夫人」という印象ではない。エプロンをかけたら、日本のお母さん、というような、飾り気のない、しかし、どことなく親しみを感じさせる人柄だ。実際には、きわめて聡明な、深い愛情と理解をもって夫を見守る賢夫人

であることを後に知る。

廊下を隔てた広い一室に案内される。書斎というより、アトリエのようだ。その感じは、ぱらぱらと僅かの本を並べた矩形空間の真ん中に、木工場にみるような細長い木製の大テーブルをどんと据えたところから来ている。チェーンソーがあったって不思議はあるまい。片隅に積み上げられたカラーファイルだけが、指導をしている学生たちのレポートのようで、それだけがかろうじて教授の「職業（メチエ）」を窺わせた。

部屋の奥に、一基の譜面台が置かれている。そこで作家グルニエは立ったまま執筆すると知ったのは後のことである。人は、立って書くか、坐って書くか、寝て書くかで文体が変わってくると、どこかで云っている。賢者らしい観察だ。なるほど、立って書けば、脳ばかりでなく足も使わなければならない。つまり、その分だけ、「知にはたらけば角が立つ」ことが少なくなる。より大地に、よりいのちに密着し、より自然的となる道理かも。

それにしても、大学者にしては風変わりな書斎にやや戸惑いながら、持参したテキストを差し出した。かの拙訳による鈴木大拙師の仙厓展カタログ解説である。

「君の手紙は読みました」と教授は口を開いた。「サクレに興味を持っているとか……」

「むしろ、逆転のサクレといったものです」と私は答えた。「神の死のあとの西洋精神が、闇をとおして光を見ようとする傾向にあることに、ずっと興味を抱いてまいりました。マルローが、ゴヤの絵をさして、黒ガラス的否定性と呼んでいるところの、それです」

「マルロー」の名に、特に動ずる気配はなかった。グルニエ、マルローの二人は、第一次大戦後、共に新進作家として世に出た間柄であるはずだが。むしろグルニエはマルローに対してある種の距離を保っていたことを後に知る。

一連の質問が続いた。

「マルローのまえには君は誰に興味がありましたか」

「バンジャマン・コンスタンです」

意外だったらしい。一挙に、ナポレオン時代の心理主義小説家の名前に飛んだからであろうか。が、いっそう興味深そうにこちらを視つめた。その目が、なぜかと促している。私は展開した。

「コンスタンは、『アドルフ』の中でこう書いておりますね。《愛するがゆえに苦しむ女の心中には、何かしら神聖(サクレ)なものがある》と。愛の苦悩の中にまで神聖を探るようなフランス精神なるものに私は関心を抱いたのです……」

「どこで、コンスタンはそのように書いているのですか」

「『アドルフ』第二版の序文です」

ふたたび、グルニエは沈黙した。

しばし、間――。

ちちと、鳴きながら鳥影が二つ三つ、庭を横切る。

そのように、一瞬、アドルフに似た状況下にあった自分の二十歳代の影が胸を掠める。卒業論文でこの作家を扱ったことと、実人生で似た体験を持ちつつあったことは、共時的だった。袋小路に陥った実人生の裏返し――アリバイとして、『アドルフ』一巻は成功している。愛人をめぐってエゴと惻隠の間に引き裂かれた自我の分析と明晰性によって。マルローも三島由紀夫も讃辞を呈している。自我にとりつかれた「近代」の男たちにとって、この珠玉の短編は、曇りなく己を映しだす手鏡のようなものだった。

だが、ここは、そんな自らの青春遍歴に触れる場ではない。表情を引き締めて私は言葉を継いだ。

「さきほど申しあげましたように、逆転のサクレといったヴィジョンは、日本人にとって魅力的なのです。しかし、疑問がないわけではありません。なぜ近代の西洋人は、光を見ようとして反対方向へ歩んでいくのでしょうか。バンジャマン・コンスタンは、苦悩を避けるのではなく、むしろ求めているようにみえます……」

「君の云うとおりです」

教授は驚いたように頷き、反問した。

「それでは、逆転のサクレといった概念は日本にはないのですか」

じっとこちらを見る澄んだ瞳の光に励まされる思いで、私は答えた。

「私は禅を少々嚙っておりますが、自分の老師たちから《妙》ということを学びました」

「それはどういうことですか」

「ご存じのとおり、日本には能という古典劇があります。その創始者の世阿弥が、秘すれば花と云っています。《秘すれば花なり。秘せざれば花にあらず》と。何もないところに花として顕れることを、妙と見るのです。このような境地を、世阿弥は、日本的サクレの最高位に位置づけております」

期せずしてこの一言は相手の心琴に触れたようだった。

「何もないところに花として顕れる……」

と、確かめるようにグルニエは繰りかえす。

「はい、真空妙有と申します」

「真空、つまり、ヴィッド（空）……」

と、これも繰りかえして口をつぐんだ。

どんなにかそれが作家ジャン・グルニエの原体験につうずるものかを、私はまだ知らなかった。そこで、こちらも黙って、向こうの庭に散る黄葉を眺めていた。ややあって、言葉が続いた。

「もしも日本的サクレがそのようなヴィッドとかかわりあるものであるならば、私には大いに関心がありますね。逆に、聖なるものが、ルドルフ・オットーのいうようなそれでは……」

と云いさして、ふたたび口を閉じた。人柄も文章も、こうした「黙説法」がどうやらグルニエ的語法であるらしい。云うよりも、云わない。せいぜい暗示する。沈黙に促された感じで、呑みこまれた下の句をこちらで付けた。

「……ユダヤ教的絶対神の感じが強すぎます」

グルニエは大きく頷いた。

どうやら入門を認められたようであった。

それにしても、あゝわれ愚かなりと、どれほど後に私は悔やんだことであろう。あらかじめ『孤島』を読んでさえいれば、「空白の魅惑」と呼ぶものこそ哲学者グルニエの真骨頂であると分かっていたであろうに。ある散歩の途次、一軒の家の塀の中から、何の花であったか、馥郁たる匂いが流れてくるのを嗅いで、「秘する」ことの意義を悟っ

1. 「…その空が揺れて空白の中に呑みこまれるのを私は見た」(『孤島』)。ソルボンヌで“西洋のタオイスト”、ジャン・グルニエ教授に師事（17頁）

2. パリ生活に先立って、オランダ、ハーグ市の王立美術館(写真左側建物)で開催された出光「仙厓欧州巡回展」に随行。

1

2

3

パリ日本大使館の文化技術顧問として活躍時代――
1.　ナポレオン最後の居城として名高いフォンテーヌブローのシャトー全部を使って日本芸術祭を総指揮。
2.　松井明大使やマルロー文科相の特使らの前で開会スピーチ。
3.　フォンテーヌブロー城中庭での彫刻展。

た――と、云ってみればただそれだけのことにすぎないのだが。（ずっとのちに、歌舞伎評論家の中村哲郎が、同書を読んで、まさにこれは能秘伝ですと書いてよこしたが、さすがに鋭い指摘であった）

どうやら面接はパスしたらしい。その瞬間、私はジャン・グルニエの門下生となった。形だけは、アルベール・カミュと相弟子の関係に。

あのあと、入口近くの小部屋に戻って、お茶を戴いた。

二階からマドレーヌ嬢が降りてきた。変わった印象で、ぎょっとした。両の頬っぺが、やけに赤いのだ。寒風に吹きさらされた田舎娘が駆けてきたようだった。それはまるで、二階に昇る階段の壁にまで架かった、ほとんど真っ白けのキャンヴァスのまえで、抑えられた色彩が反抗して滲み出てきたかのようにみえた。

「これはみんな、あなたの作品ですか」と尋ねると、にこりともせず「ウイ」と答えて、こういう。

「なんで西洋では、絵に仰々しい額縁をつけるのか、私には分からないの。日本人はそんなことはしないでしょ？」

「はあ、それはそうですが……」

なぜか、ただただじとさせられる。

純粋は、生きることに耐えられるのか。いや、そもそも、人生は生きるに値するのか
——

このように自問し、最後に「生まれ変わったら無になりたい」と書いて亡くなった哲学者を父とし、この父に学ぶかのごとく生きることを苦痛とした画家マドレーヌであった。

和紙で描きたいという願いを聞いて、後年、私は日本から彼女に送ったことがあった。お礼に墨で描いたデッサン帖が送られてきた。その暫くのちにマドレーヌは自殺した。父の死に遅れること十一年、五十三歳だった。

令息アラン・グルニエ氏が、唯一のグルニエ家の生存者となった。各国大使を歴任のあと、フランス最高の永久大使として現に名声を馳せている。


「太陽がいっぱい」と「からっぽ」

その昔、アルジェのリセーでアルベール・カミュを受け持った若き哲学者ジャン・グルニエがソルボンヌ(パリ大学)の教授となったのは、一九六二年のことだった。その翌年に私は来仏して僥倖にも出会いを持った。

『孤島』の初版は、つとに一九三三年に出版されて、カミュ少年に文学的開眼をほどこしていた。ノーベル文学賞作家となったカミュの序文に飾られて一九五九年に再版され、師弟協力として美談を生んだこのエディションで私は初めて同書を読んだ。その間に、東大の井上究一郎教授による和訳が世に出て、これが日本でのグルニエ紹介の嚆矢となった。別のグルニエ著作群の翻訳がこれに続き、手堅い読者層を獲得して今日に至っている。

第二次大戦後のヨーロッパ知識人の意識は、世界が「悪魔の陽のもとに」（ベルナノス）あるという暗さにおいて共通だったが、そうとはかぎらないということを、『孤島』によって初めて私は知らされた。そもそも西洋では、神秘は夜とむすびついている。ところが、少年ジャンにとって、それは白昼の出来事だったのである。真昼間に、青空をも呑みこむような——。

『孤島』は全十篇のエッセイから成り、問題の一作「空白の魅惑」は巻頭に置かれている。いま私の手元にあるガリマールの新書版においては、この章はたったの七ページを占めるにすぎない。信仰告白にふさわしい簡潔さというべきか。幼時、五，六歳のころ、ブルターニュの海岸に寝そべって青空を見ていると、不意にそれが揺れて「呑みこまれた」という体験談である。

一本の菩提樹の影に横になり、ほとんど雲一つない空を眺めていたときに、その空が揺れて、空白の中に呑みこまれるのを、私は見た。

それだけのこと――。

「空白」とは、原文では「ヴィッド」と云われている。「ヴィッド」とは通常、「空（くう）」と訳すが、ここでは井上教授に敬意を表して「空白」と訳すこととしよう。

ところで、私が呑みこまれた、とは云っていない。その青空が、と云っている。何が呑みこんだのだろうと著者は考え、最初、それが「無＝ネアン」というものであろうかと推測する。しかし、無という呼び名を注意深く避け、空白と呼ぶのである。無は空白と同じではない。空白は無に出入し、ジャン・グルニエは空白に出入する。究極には、人は無に帰する。だが、空白に溶け入る感情は、不幸ではない……

ちなみに、「彼岸」ということを考えるフランス人は、心理的に、ネアン派とヴィッド派に分かれるように思われる。

ジャン・グルニエは当然、ヴィッド派である。老子の「空」に傾斜し、その研究書を出版したほどだから「フランスのタオイスト」と呼ばれることもある。これに対して、空白とは「整理された無」であるとしてこれを嫌い、むしろ混沌の無を好むといったタイプの知識人も少なくない。いや、このほうが多かろう。三島由紀夫に死の直前にまで影響をあたえた『エロチスム』の著者、ジョルジュ・バタイユなどはその典型であろう。画家のアンドレ・マッソンも、自ら明言するごとくネアン派の典型だった。在パリ中、私は、ユネスコの委嘱で南仏にマッソンを尋ねて対話したことがあるが、「自分にはヴァイオレントな無のほうが向いている」という興味深い述懐を聞かされた。

しかし、注意を要する。バタイユにしても、マッソンにしても、けっして混沌のままの、何もないというだけの無を容認したというわけではないのである。グルニエ教授のゼミで私が白隠の「無」の書を示して、あの不気味な染みに触れて「これはサクレではありませんか」と問い、グルニエが頷いたとき、そこにはおそらくそのような共通のヴィジョンがあったと云いうるのではなかろうか。

混沌としての無に神聖を認めうるか否かで、近代芸術は、シュルレアリスムに留まるかその先に行くかが岐れるともいえよう。夜は、ただの闇か、星が隠されているか、である。アンドレ・マッソンは、美術史においてしばしばシュルレアリストとして定義されたが、彼自身はそれを嫌っていた。その理由は、要するにマッソンは、無をただの無とは見ていなかったからにほかならない。マッソンとの対談中、私が「あなたの描く混沌にはサクレがあります」と水を向けると、実際に彼はひどく喜んで、奥の部屋のマダムにこう叫んだものだった。「おい、この日本のムッシューは面白いぞ！」*

＊このときの対話は、ユネスコ編『日本と西洋——美術における対話』（日本語版、講談社インターナショナル刊）に収載されている。

従って、無といい空白というも、事は単なる抽象論議に留まらない。絵画や文学に即して語れば、問題は、はっきりしてくる。

ジャン・グルニエが、青空を呑みこんだ空白とは何だったのかと、自身、哲学者でありながら作家としてこれを問うたのは、従ってきわめて賢明な方法であった。しかも、おそらく彼は「立ったまま」それを書いた。何物かが逃げていかないために。そして、一つずつ消去法のようなプロセスをとって正体を詰めていった。

スリリングな追跡ではあった。

『孤島』で、最初、グルニエは、これは、世にいう「悪の問題」かと考える。が、まだ幼少で、その種の本を読んだこともなかったから、善悪の判断の対象外であるとして、それを斥ける。このあたりの分析の厳密性はさすがに見事なもので、碩学でなければできるわざではない。

そもそも二十世紀は、科学の火によって人類が大失墜した時代であって、ここから根源的悪の問題に直面した。初期キリスト教時代のグノーシス派的世界観さえ復活し、見える世界を摑んでいるのは悪魔――美少年の姿をした――であるとの見かたが一時期流行したほどである。少年ジャンが見た、見える世界が見えない世界に呑みこまれる現象について、作家グルニエは従って、これはまず、「悪」の問題かと疑ったが、無垢の少年にとってそのような形而上学的概念は存在しなかったと判断するのである。

こうして彼は、自らの主観的体験にほかならない空白の性質について、様々な角度からアプローチし、照明を当てていく。（繰りかえすが、たった七頁で、である！）そこから、人間の裸の存在、「実存」は、「悲劇的偉大でも卑俗的不条理でもない」と結論する。また、「一つの事物から他の事物へと、片足で、けんけん跳びしていくべきものでもない」と、この人らしい比喩をもって警告を発してもいる。そして最後に、素朴なればこそ恐ろしい真実を、さらりとこう述べるのだ。

「空白は、ただちに、いっぱい（プラン、plein）に取って代わられる」と。

ここまで読んだときに私は、『プラン・ソレイユ』（太陽がいっぱい）というフランス映画の、あのラスト・シーンを思いださずにいられなかった。瞬間から見れば、未来の成功に鼻孔をふくらませ、海から浜辺に上がってくる青年――アラン・ドロン演ずるところの――は、人生の勝利者だ。ヨットの向こう側、死体を引きずる舟べりは、彼には存在しない。

ある瞬間から、「いっぱい」が彼にやってきた。貧しさの中の、あの「空白」の輝きはどこへ行ったのか。「何にもないから彼には詩が生まれた」と三島由紀夫が云うところの、あの輝きに満ちた空っぽは——？

「からっぽ」は、即座に、「いっぱい」に取って代わられる……

それが魂の死というものであると、グルニエは最も恐ろしい真実を暗示しているのであった。

*

「空白の魅惑」の章は、次の一節で終わっている。

過ぎた我が人生を顧みるとき、私にはそれが、あの神的な瞬間に到達するための一努力にほかならなかったように思われてくる。あの透明な空(そら)の想い出によって、そこに至るべく私は決定づけられていたのではあるまいか……

この告白は、それこそ余りにも透明であるゆえに、グルニエとは反対に幼時から暗い影にとりつかれてきた自分のような者を戸惑わせる。「あの神的な瞬間」とあるように、彼にとっては「空白の魅惑」は、ほとんど至福というにひとしいものだった。だが、これほど私に遠いものもなかったのである。

最初、グルニエは、「幼時から自分はいろいろと奇妙な体験を持った」と書き出しているので、その点ならこっちも同様だと思っていると、最後にどんでんがえしを喰ってしまう。私自身の「奇妙な体験」とは、薔薇をかざした輝かしいインド女性のあの「ロジエー」の夢を除いては、総じて暗い性質のものばかりだった。しかるに少年ジャンのそれに、メランコリックな影は皆無だったのである。

ところで、「空白の魅惑」を読むかぎり、「神的瞬間」は彼の幼児期に一回しか起こらなかったような印象を受ける。少なくとも私にとってはそう読めた。また、簡潔すぎて、ほとんど幻覚と取られかねないような書きぶりでもある。しかるに、グルニエ亡きあと、あるとき私は、マリー夫人から聞いたことから非常な衝撃を受けた。たしか電話での会話だったと思うが、「あのような体験はジャンの身に何度も起こったのです」と聞かされたのである。

「ええっ！　何度も、ですか」

と思わず鸚鵡返しに繰りかえすと、夫人は

「もちろんですとも」

と応じ、

「ある旅先で、私が自動車に戻ってくると、ジャンは、その中で……」

と云いさして喉をつまらせたのであった。

私はそこに深い愛を感ずるとともに、そのとき、彼女の夫はおそらくエクスタシーと呼ばれる状態にあったのであろうと察しられたのであった。とすればまさに、「神的瞬間」——至福の再来だったに相違ない。幼年期に一回だけ起こったことなら幻覚であっても不思議はない。しかし、全人生的に起こったとなると、これはまったく只事ではない。

そうだ、いまにして思うのだが、たまたまこういうことがあった。あるとき私はイタリアのある美術雑誌で禅の円相図について筆を取り、それをグルニエ教授に送ったことがあった。これに対して教授は絵葉書で返事をくれた。そこには、「私はイタリア語を読む。貴君の云うフェリシテ（至福）に賛成」と簡潔に記されていた。

「フェリシテ」とは、軽々に云いうる言葉ではないと、いまにして思う。後年、私は、皇后美智子さまの御歌の仏訳にかかわらせていただいたが、その名歌の一つの題名である「幸」の訳でちょっとばかり苦心した。周囲の協力を得て漸く適訳を見つけることができたが、それが「フェリシテ」だったのである。

生まれながらに恩寵に恵まれた人々があり、ジャン・グルニエはその一人だったのであろうか。

ただし、ここに一つの疑問が生ずる。反対に、現在八十四歳にして未だ不悟の老人は、こう思うのだ——

《凡俗にとっては、人生の最後の際に辛うじて見うるか否かという彼岸を、もし最初に見てしまったとしたら、逆にその人は、以後、どのように生きていったらいいのか……》と。

疾く見てしまった人にとって、生きることはどんなにか苦痛であることだろう。

「見るべきは見つ」——壇ノ浦の平知盛にとって残されたことは、碇を抱いて西海に沈むことだけだった。日本で尚ばれるのは、この「末期の眼」である。芥川龍之介も川端康成も、それを重視した。反対に、ジャン・グルニエの例は、童児の眼である。日本でも、三島由紀夫のごとき天才においては、生まれ落ちたときに見た光を覚えていると云い張る例もある。洋の東西を問わずこれらの天才児たちにとっては、恩寵は出発点にあり、生きることはそれから遠ざかることでしかなかった。生きることは水源からの逆行であるとのヴィジョンが最後までつきまとう。彼らは絶えず自らを鞭打って死の誘惑と戦わねばならなかった。

そういえば、ジャン・グルニエの別の一書は『ナポリを見て……』と題されている。ふつうは、「ナポリを見て死ね」である。ところがガリマール社から出た同書の帯封には「……生きよ」と洒落た惹句が載っていた。

ナポリを見て、生きよ——

何という逆説であろう。

ジャン・グルニエの遺著ともいうべき、わずか二十部の『祈り』と題する小冊子を読んだことがあった。絶望よりも希望を、死よりも生を、闇よりも光をあたえよと、切々と訴えている。

「ディユー」（神）と、一言、最後には呼びかけている。生涯に一度、最期に発するべく、この語は秘匿されてきた。

たしかに、窮極に、神以外の何に対してわれわれは祈るのだろうか。

*

もっとも、私自身は、「神」まで行き着く手前で立ち止まって問題を問いなおしたいという立場である。

そう、その立場で「彼岸」を問いなおそうとしている。そもそもこのことが本手記の重低音的な中心テーマにほかならない。そこで、こう問いたい。

ブルターニュの海岸に横たわる少年ジャンの眼のまえで青空を呑みこんだ空白は、日本ではいかなる文学者の体験に通じるだろうか、と。

こう考えるとき、真っ先に思い浮かぶのは、柳田國男である。私はそのことを、小林秀雄が晩年に大学生たちに語った講演——国民文化研究会の主催による——の記録（『学生との対話』新潮社刊）によって知った。ただし、『遠野物語』とは別のある書物に記されているらしい。有名な民俗学者が、少年時代に祖母の信仰していた祠の開かずの戸を無理に開けて何かを見た瞬間、「実によく晴れた春の空で、真っ青な空に数十の星がきらめくのが見えたという」と、小林秀雄は引用している。

「もし鵯（ひよどり）が高空でぴいっと鳴いて我に返らなければ私は発狂していただろう」という柳田國男の回想を重視して、である。

茨城県布川での十四歳の日本少年の体験を、「岩、泥、水……」のブルターニュの海岸でのフランス少年の体験と比べて、何を云いうるだろうか。『孤島』には、昼に星が見えたとも書いてないし、発狂しそうだったとも云われていない。が、どちらも、白昼に「異界」を視たという事実に変わりはあるまい。私が注目したいのはそこである。ちなみに、これらの講演で小林秀雄がいちばん熱心に語っているのは、「お化け」である。東大をはじめ幾つもの大学から集まった秀才たちは、たぶん、たまげたのではなかろうか。本居宣長にも触れている。ベルグソンにも言及している。しかし、「批評の神様」が口を酸っぱくして語っているのは、要するに、人間の「たましひ」（魂）についてなのだ。現実とは現世だけではない、そしてそのことが文学の基本だと云っているのである。

白昼に星空を見ることと、日本文学でしばしば語られる「神隠し」とは、おそらく紙一重なのではあるまいか。異界の中に入ってしまった、時にはそのために「物狂い」になってしまったというのが、神隠しなのであろうから。

文芸評論家の山本健吉は、柳田國男の云った「ある種の少年には神隠しに遭いやすい性質がある。自分はそうであった」という述懐に注意を向けている。柳田翁によれば、この性質とは「やや宗教的ともいうべき傾向」である、というのだ。

私自身、少年時代に、東京の深川で、白昼、路上で友人とともに神隠しに遭ったという体験を持っている。このことは自伝的小篇『めぐりきて蛍の光』で語った。「やや宗教的……」とは、スピリテユアルということであろう。このスピリテユアルの傾向つよきゆえに、現にこうしてこの長い手記を書いている。

山本健吉はさらに、柳田國男のある示唆から折口信夫の「たましひ」の研究が生まれたということをも指摘する。そしてかく云う健吉自身、折口信夫の弟子であった。

のちにアンドレ・マルローが那智の滝のまえで啓示を受けた出来事に対して、ただひとり日本で深く注目してその秘密を解いたのが山本健吉だったことは、従って偶然ではなかった。ちなみにいま述べた柳田國男と神隠しのことは、「マルローの那智滝考」の章に始まる健吉の畢生作、『いのちとかたち』の中で触れられている。

「死んだ人間と、出た人間は、どうなったか分からない」と、私はよく母から聞かされたものだった。「出た」とは、外出したとの意味だった。そこには当時の男性優位的社会に対する諦念にも似た口吻が感じられないでもなかったが。

嫁いだ女が帰ってくれば出戻りであり、死んだ人間が帰ってくれば幽霊である。フランス語で「ルヴナン=出戻り」といえば、幽霊を意味する。

彼岸については、死んで往ったきりというのが大半だが、こちら岸と往き来するという場合もある。往ったきりというのは主に西洋であり、往き来するのは日本である。

『源氏物語』から謡曲を経て『遠野物語』に至るまで、日本文学は二つの世界の間の往還において成り立っている。特に能のそのような性質は、ふつう「夢幻能」と呼ばれるが、むしろ「往還能」と呼ばるべきだと山本健吉は主張している。いみじくも——。そのほうがふさわしいと私はある能の専門家から応答を聞いたことがある。そのような観点から健吉が芭蕉の全発句の意味を問い直ししているのは、卓見というべきであろう。

西洋で最大の往還自在人といえば、「一隻の霊眼」居士、スウェーデンボルグをもって真っ先に指を屈する。霊界についてのその余りのリアルな描写は我ら凡人をして却って疑念を生じさせるほどだが、だからといってこれを無下に否定する根拠は、なんぴとも持ちあわせていない。

日本におけるスウェーデンボルグの最初の紹介者が鈴木大拙であった事実は、もっと注目されてよかろう。大拙が、禅と浄土信仰においては瞬時に「往還」が成立すると説いたことと（『日本的霊性』）、偉大なこの霊界居士の熱烈な紹介者であったことは、一にして二なるものではなかった。

私自身は、あの本郷元町のあなぐらでうごめいていたころから、東西のこの二大宗教家は「ミスティシスム」の名において相結ぶと考えていた。日本では一般に、ミスティシスム（神秘主義）、ミスティック（神秘家）というと、眉に唾つけてかかるところがあり、特に禅林ではこれを嫌うが、本当に東西の深い対話が成立するためにはこのバリアを取りのけてかからねばならないであろう。

フランス留学でジャン・グルニエと邂逅して私が得たものは、この「バリア・フリー」である。ソルボンヌのゼミでの第一回発表を終えるや、私は次回も続いてやれと云われた。そこで、二度目は、大拙師から学んだ「瞬間的往還」について述べた。『孤島』の著者はふたたび驚きを示し、「西洋では彼岸との往復ということはこれまで聞いたことがない」と云った。

聞いたことはなくとも、ブルターニュの海岸以来、ずっと彼自身はそれを生きてきたのではなかろうか。

新しいミスティシスムとは白昼の星々であり、そのもとで東西は新次元に入りつつあったに相違ない。

「ゼンにも彼岸ありや？」

場内は満席で、聴衆は階段桟敷の通路までぎっしり腰を下ろして開演を待ち受けていた。

東洋美術の殿堂、パリ、ギメー美術館の大ホールである。

物見高いはパリの常で、「東洋友の会」が日本から禅僧来たると知らせただけでこの騒ぎだった。それにしてもどんな名僧が来るのかと、第一列に陣取って私も興味津々に見守っていた。イベントは日本大使館後援で行われ、途中、あなたも登壇してくださいと声をかけられていた。

一九六〇年代半ば、「禅ブーム」は真っ盛りだった。わが生活空間である大学都市にも、「ゼン」とは何か、来て語ってほしいという市民からの要望が時折寄せられてくる。そんなときに私は周りから指名され、押し出される格好になっていた。

大学都市には多くの日本人留学生が寄宿している。みんな難関を突破してやってきた秀才ばかりだが、こうした日本人そのものを語り、さらに対話できる者となると、稀だった。つまり、日本人でいながら「日本的霊性」とはほとんど無縁のようで、戦後民主主義の影響か、むしろ反感や否定を示す輩も少なくなかった。そうした様子を見て私は、あゝ、結局、フランス的教養の日本人とフランス人の出会いしかないのだなと思った。深層の日本を打ち出して対峙しようとする姿勢が、そもそもこれらフランス派エリートたちには基本的に乏しかった。

ここから、私の講演活動が始まった。パリには往年のごとき文芸サロンが幾つもあり、多くは才媛によって主宰されていた。「人間と認識協会」というソサエティから呼ばれてスピーチすると反応がよく、三回連続で登壇した。評判が自然と日本大使館の耳に入り、交流が生じた。住居も、大学都市を去って、パリ八区、レニングラード街（現サント・ペテルスブルグ街）三十番地のアパルトマンに引っ越した。モンマルトルの麓で、日本大使館と同じ区内に位置している。ここで知らせを受けて、ギメー美術館での催しに駆けつけてきたのだった。

さて、いかなる禅師の到来かと、満堂の聴衆とともに待ち受けていると、現れたのは一個の荒法師だった。

容貌魁偉。いかにも只管打坐（しかんたさ）の雰囲気が漂っている。これが弟子丸泰仙のパリ・デビューの瞬間で、時に禅師は六十六歳だった。

京都妙心寺の久松老師の道場には時折、宗派を越えてこの手の曹洞宗の禅僧が現れて蛮勇を振るった――「久松老師を殴った」ことを自慢にする手合いもあったとか――というようなエピソードを私は先輩から聞かされていたので、なおさら興味をもって泰仙師の様子を打ち眺めた。

浪花節語りのような野太い声でしゃべりはじめた。講演というより、辻説法のスタイルだ。悪いことではない。同じく袈裟をまとった、ひょろ高いフランス人男性の弟子が通訳する。泰仙師は、日本語とブロークン・イングリッシュのちゃんぽんといった語り口で、前後の脈絡なく、いきなり「非思量体を思量せよ」などと云ったりする。フランス人聴衆は、さっぱり分からない。そのうちに、ニーチェの名を持ちだして、延々と禅との比較論を始めた。これはまずいと私は感じた。「比較文化」的アプローチは、東西間では必須だが、限度がある。本場の西洋へ来たら、さらりとやれば乙だが、くどくどやればそっぽを向かれる。日本のお家芸については、日本はこうだと押し通したほうが尊敬される場合が多い。泰仙師のゼン・ニーチェ比較論は延々と続いた。フランス人の弟子は、にこやかに、通訳というよりは巧みに註釈する。結果として翻訳のほうが三倍もの長さとなるので、そのたびに聴衆は笑った。フランス人は、人を見る。べらんめい調の説法スタイルをむしろ楽しんでいるようで、反応は暖かった。「デシマル」は、パリに受け容れられた。

しかし、「ゼン」について何かが分かったかといえば、かえってこんぐらかった感じだった。

講演が終わり、質疑応答となった。「東洋友の会」の女性会長が、前列に坐った三人の日本人を壇上に呼び上げた。東大助教授の森有正氏と、若き比較神話学者——のち学習院大学教授——の吉田敦彦氏と、そして私である。壇上から見渡すと、後ろまで立ち見の出ている会場は熱気でぼやけてみえるほどだった。手を上げて幾つか質問が発せられ、最後にこういうのが飛んできた。

「ゼンにも彼岸はあるのですか？」

来たな、と私は思った。森、吉田と、並んだ順にかなり長い応答があったが、場内は反応がない。そこで打ち切られようとしたので、私は手を上げた。司会の「友の会」女性会長は苦笑した感じで、「どうぞ」と云った。私はこう答えた。

「はい、ゼンにも彼岸はあります……」

満場の視線が集まるのを感じながら、こう続けた。

「ただし、いま、ここに、それがもたらされるという条件のもとに——」

どっと喝采が起こった。同席していた日本大使館の文化アタッシェ氏から、「あなたはたった一言で彼らの心をつかみましたね」と讃辞を呈されたが、私としては当たり前のことを云ったにすぎなかった。しかし、この確信に達するために、京都の禅寺に始まって我が青春の模索のすべてを掛けてきたことも事実だった。

心底に信じていることをそのままに打ち出せば道は啓けるのだろうか。

ギメー美術館での一言は、思わぬ余波を起こす一石となった。

見知らぬ二、三の人士から反応があった。一人はエマニュエル・ローテンというフランドル系の詩人である。氏はブーローニュの森の大邸宅に招待してくれた。本業は鉄鋼業者らしい。親しい間柄という美術批評家のミシェル・タピエが同席していた。いかつい角顔いっぱいに顎髭を生やしたローテンは、「この人は奇才ですぞ」と云って私を一座に引き合わせた。よほどあの一言がこたえたらしい。ローテン夫人は、夫とは不釣り合いなほど優雅な人で、フランドル詩人は、こちらの印象を先取りするかのごとく、「手前どもは美女と野獣でして」と云って哄笑した。

七年後、彼の名は一挙に日本の憂国の士の間で知られることとなる。三島由紀夫の自決の翌年、私は黛敏郎とともにシャンゼリゼーで「パリ憂国忌」を主宰したが、その流れでローテン邸で追悼の夕べを開かせてもらったからだ。ミシェル・タピエの姿もそこにあった。デュビュッフェの描いた肖像画に見るごとく梟のような尖り鼻の顔を最晩年の痩軀の上に乗せて――。シャンゼリゼーのシネクラブで三島主演の映画『愛と死の儀式』(『憂国』のフランス語版)を鑑賞したあとだった。ローテンは、感動のあまり、その場で一気呵成に書きあげた同名の詩を朗読した。帰国後、黛敏郎は雑誌『浪漫』に筆*を取り、「私はこれほど感動的な会に出たことはなかった」と記した。「この見事な訳詩を作曲するつもりだ」ともあったが、それは実現されなかった。しかし、黛敏郎はよほどこの詩に感銘していたようで、三島事件の翌年に開かれた公判席上でそれを朗読までしている。

＊拙著『パリ憂国忌』に引用。

もう一つ、思いがけない反応があった。

ギメーから数日たったある日、レニングラード街の拙宅に不意の訪問者があった。ブザーが鳴ったので玄関を開けると、品のいい中年のカップルが立っていた。やや吃音のある感じで紳士が語るのを聞くと、自分はパリでかくかくの出版社を経営している者だが、失礼をも顧みず日本大使館でご住所を伺って参上しました。と申す訳は、過日、私共夫婦はギメー美術館であなたの見事な応答を聞いて非常に感激したものですから、という。しかも、どうか私共にあなたを支援させてください。月額、しかじかのフランを送らせていただきますというのを聞いて驚いた。それはフランス政府からの給費額の二倍以上にあたる金額だった。紳士は、私共は怪しい人間ではありませんと名刺を差し出して、まずは拙宅に昼食にお招きしたいと付け加えた。

それにしてもフランスには奇特な人がいるものだと感じ入った。名前に「ド」の字がついているから、旧貴族の鷹揚さというものであろうか。

そんな名状しがたい気分で、ある日の昼、招待に応じた。凱旋門から突き伸びる堂々たるアヴニュー・ド・フォッシュ通りの中程の、広場に面した建物の最上階に、その屋敷はあった。バルコニーに立つと、天下のパリが見渡せた。

「あれをごらんなさい」と、社長が指さすかなたを見ると、広々とした大通りをへだてた真向かいに、ここととほぼ同型のバルコニーがみえる。そこに横たわって日光浴をしている女性の姿。「ジャックリーヌ・ケネディですよ」と云われて、びっくりして目を凝らしたが、遠目であるうえに、サングラスをかけているので容貌は分からない。「フランスに来るたびに、あの家に泊まるのです……」

私は、大学都市に住んでいたときにケネディ大統領暗殺の悲報を聞いた。外出先から帰ってくると、入口で受付をしていた黒人の学生が悲しげに「ケネディ大統領が殺された」と教えてくれた。「照準器つきの銃で撃たれて……」と、銃をかまえて狙う振りをした。あれからまだ半年も経っていない。あの事件のとき、パリの大衆紙の中には「貞女ジャッキー――わたし二度と結婚しない」などと、あらずもがなの扇情的大見出しを掲げたものさえあったが、実際は、早々にしてギリシア人の大船主オナシスとの交際が始まっていたのだ。パリほど忍ぶ恋にふさわしいところはない。それにしても、こんなところに隠れ家があろうとは……

こうして、週に一度は丁重に貴族の館に迎えられ、時折、「ジャッキー・オナシス」の日光浴を拝することとなった。こちとらは、パパラッチではないから、それだけのことだったが。

母の死

パリのポルト・ド・ヴェルサイユ駅でメトロを降りると、地上は眩いばかりの五月の午後だった。近くのスポーツ会館から歓声が聞こえてくる。紅白のマロニエの花が一斉に散る石畳の上を私は歩いていった。

ジャン・グルニエ教授の紹介でインド哲学の某教授の私邸を訪ねる途中だった。たぶん論文審査の副査となっていただく方なのであろう。しかし、幸福感に満ちた周囲の様子とは反対に、私の気持は晴れなかった。

パリの春は、ある日、突然、一段と光輝度の強い一日をもって始まる。そのときも、ふと、周りが一段と輝きを増したように感じたので、そうした季節の到来かと振り仰ぐと、並木道の真上の天空を、大車輪のような光芒が見るも眩しい光箭を射放って、静々と渡っていく光景が目に入った。同時に、先にイタリア旅行中にミラノで見たミケランジェロの「ピエタ」の聖母像が、空中の大光輪とぴたり重なった。日本で危篤の状態にある母が何であのように僕をかかえているのか、ほんとうは僕が母を抱えていなければならないのにと思ったとたん、目がくらんで、思わず傍らの並木に寄って身をささえた。近くのイベント会場から挙がる歓声が遠のき、その屋根に張りわたされた万国旗が散りしきるマロニエの花々と入り混じって空に落下していくと見えた瞬間、ぼうっと意識が霞んでいった……

日本を出てから一年が過ぎようとするころだった。母の重態が伝えられてきていた。日本を発つとき、母はすでに癌が再発していたが、最も苦しいといわれる骨髄にまで転移したと知らされた。帰国して、息のあるうちに一目会いたいとの思いが募った。帰国用の旅費は、フランス当局にいえば出してくれる。だが、そうすれば今度はフランスへ戻ってくることができない。当時の金で、きっちり二十五万円積まなければ日欧間の片道切符を買えない時代だった。苦学生にそんな余裕はない。思い余って、松見守道に相談した。返事は、予想はしていたが、ノーだった。思いを叶えてやりたい、だが、帰国して里心がついたら初志貫徹がなるまい、君も男ならそのくらいは覚悟せよというのであった。有難い愛の鞭であった。

それでも何とかしてやりたいという高校時代の友が、知らない間に拠金に動いてくれたようだった。しかし、そんな大金が集まるはずがない。病床の母に会いに行ったこの友から手紙が来た。忠雄に一目会ってから死にたい。でも、学業の妨げになるから呼んでくださるなと云われたという。「立派な日本の母です」と手紙をむすんであった。

松見守道の考えも、母の考えも、同じだったのである。私は決意した。

しかし、理性では受け容れても、心情は別だった。出国以来受け取った病床からの母の便りは二通目で最後だった。「今日は七月二十四日、ターチャンのおたん生日おめでとうございます」に始まって、「私のゆめを度々ごらんになるそうですが御心配かけてすみません」とあった。苦痛に耐えて、どんな姿勢で書いたものか、レミントン・タイプライターの用紙に一糸乱れぬ細字でしたためられた手紙を繰りかえし読んでは、私はただ遠く思いを馳せた。いちばん思うことは、別れのときの光景だった。

あの日、夕刻の羽田からの出発をまえに、大塚の父母のもとへ挨拶に向かった。父は、一時、商売の大成功を収めたあと、真っ逆さまの失墜で――結局私も人生半ばで同じような落下曲線をたどるに至る――、板橋御殿といわれた家を手放してからはだんだんと先細りの生活となり、最後は大塚で貧しいアパート暮らしをしていた。私はそこで母との別れを告げて、その足で近所の床屋に寄ると云って出た。そして散髪を終えようとするとき、ふと、目のまえの大きな鏡の中に、痩せ細った母が朦朧と映っているのを見て驚いたのだった。

振り向くと、母は、小さな孫娘の手を連れて立っていた。私の妹の娘で、由美といい、二、三歳だった。床屋を出て、タクシーを呼び、ではお母さん行ってまいりますと改めて告げて、羽田に向かった。車は横町を曲がって元の通りに出た。すると、バックミラーに、また母が映っているではないか。由美の手を引いて。私は振り返った。遠目に、母は由美に何か話しかけながら、ゆっくりと、こちらの方角へと歩いてくる。叔父さんは遠いお国へ行くのよとでも云っているのであろう。向こうはこちらに気づかない。よほど下りて手を振ろうかと思った。抱きしめたいと思った。そうしなかったことが一生の後悔として残るであろう。しかし、驚いたことに、目のまえのバックミラーに、二人の姿は、こちらが細長い街路を走る間じゅう、ずっと映っていたのである！

それが、見納めとなった。

床屋の大きな鏡と、車の小さなバックミラー――そこに映った姿が、母の最後の像となった。

小さな孫娘は、のちに、山形由美というフルート奏者となった。

成功は、きっと、お祖母さんの守護霊のおかげであろう。

ポルト・ド・ヴェルサイユであの神秘体験を得てから一週間経ったとき——一九六四年五月二十三日——だった。夜半、ある夢を見て飛び起きた。かつて見たこともないほど若い美しい姿で母が現れた。一室で、母は父と食卓に就いていた。私自身はといえば、廊下にいて、何となく入るのを躊躇していた。どこか親不孝ばかりしてという意識がはたらいていた。ところが母は、そんなことはまったく顧慮しないようで、中へ入っておいでと微笑するのだった。私は、あのように光輝く、優しい微笑というものを見たことがない。その生々しさは夢とも思えず、そして居たたまれずに、深夜の街に飛び出していった。

ありがたいことに、パリには夜通し空いているカフェがある。家を出て左に行けば、サン・ラザール駅に至る。その周辺の、点々と灯りの点ったカフェを梯子して、あてどなくほっつき歩いた。そして夜のしらじら明けに、重い足取りでレニングラード街三十番地に帰ってきた。エレベーターに乗ろうとすると、コンシエルジュの婆さんが出てきて、「ムッシュー竹本、電報です」と云って差し出した。油圧式でのろのろと四階まで昇っていく鉄格子のケージの中で、私は読んだ。

「母死ス。安ラカナ最後デシタ。父」
とあった。

*

あのあと、世界が変わってみえた異常な感覚を思い出す。戸外で、樹を見れば樹が、雲を見れば雲が、鳥を見れば鳥が母の生まれ変わりかと思った。なぜか、おのずと、ギリシアの伝説を熱心に読んだ。ある女が、沖に出て亡くなった夫を偲び、海を視つめていると夫の死骸が漂ってきて、やがてそこから一羽の白鳥が生まれて飛びさっていったという類の素朴な物語が、何の抵抗もなく自分の心にすっと入ってくるのであった。

存在が突然、非在に変わる出来事を、どんなに条理をつくしても人間精神は受け容れられないようにできているのではなかろうか。しかし、また、もし「彼岸」が本当にあるならば、すべてが変わってくるのでは……

呆然として、グルニエ教授に電話をかけた。「ママンが死んだ」という『異邦人』冒頭の言葉を思い出しながら。

来るようにと、指導教官は云った。

ブール・ラ・レーヌのお宅に伺うと、私の手を取り、こう云われた。

「何とお悔やみを云っていいかわからない。しかし……」

そのあと、例の黙説法かなと思ったが、言葉が継いだ。

「もし、君がサクレを信ずるなら……」

そのあとは、本当に口をつぐんだ。

それは、神ということとほとんど同意義であろうかと、そのとき初めて思った。


ともあれ、留学一年目をもって、第一幕の幕は下りた。

母の死に目に遭えなかったことで覚悟はついた。あと十年間の、私が本当に人生で勉強したといいうる期間が始まろうとしていた。それはまた、果たしてそのかなたに光があるのか、それとも闇で終わるのか、西洋の夜への我が沈潜の始まりでもあった。

第二章　夜と悪

人間博物館の秘密

母の死をきっかけに、歌舞伎の回り舞台のように私はヨーロッパ文明の昼から夜の中へと、ゆっくりと入っていったような気がする。ポルト・ド・ヴェルサイユでの神秘体験から一つの詩が生まれ、それを「蝕」と名づけたことにもこの変化は表れていた。

その年のクリスマスの飾りつけが町々に現れはじめたある日、名声高い「人間博物館」（ミュゼー・ド・ロム）をぶらりと訪ねた。エッフェル塔を真っ正面に見晴らすトロカデロ広場の高みに、優美な鶴翼を広げた形にナポレオン時代の名残りのシャイヨ宮殿が立ち、その右側を占めてこのミュゼーはあった。フランス入りに先立って三ヶ月を過ごしたオランダで、ライデン市の民族学博物館を訪ねた経験から、私は、ここでも世界人種の博覧会といった趣向が見られるものと予期していた。ところがそれはとんでもない誤算だった。パリの人間博物館は、かつてはトロカデロ民族学博物館と呼ばれ、たしかに植民地主義時代の残映を宿す収集には違いなかったが、まったく異なるコンセプトにもとづく構成だったのである。

ひとことで云えば、性と、死と、そして悪霊をも取りこんだ世界のような——。「人間存在を定義する一切」を理念として建てられた独創的博物館、というふうにガイドブックには紹介されていた。ところが実際にそこを訪ねての印象は、とうてい想像の及ばざるところだったのである。のちに同館の展示物は、進歩主義史観による目を覆うばかりの浅薄な只の張りぼてに変えられてしまったから、なおのこと、やるせないノスタルジアをもって初参観のときのことが思いだされずにいない。

これが同じヨーロッパかと思わされたほど、ジャン・グルニエ的「空白の魅惑」の対極世界を思い知らされるばかりだった。異界とは、本来的に夜と悪霊の世界であるという二元論的世界の片側を、まざまざと見せつけられた思いだった。人間博物館とは、そのための恐るべき方法論的仕掛なのか、まんまとそれに引っかかってしまった。

『お菊さん』の著者、ピエール・ロティがタヒチ島から持ち帰ったという多彩なトーテムに迎えられて、気分よく一階ホールから二階へと、ゆったりとした回り階段を上っていくと、いきなり、真っ向から、東西二女性の顔写真に迎えられた。「西洋系とモンゴル系」とある。驚いたことに――これから見ることに比べればこんなことは序の口にすぎなかったのだが――「モンゴル系」のほうの代表は、京都の舞妓の白塗りの顔なのだった！

パネルの説明に曰く――

「そもそも人類学においては、人種決定を行うには、解剖学・生物学・病理学の三要素をもってする」

ふむふむ、なるほど。

「解剖学的に、モンゴル系は瞼が垂れ下がっている」

と続く。

次のパネルに進むと、同じ舞妓かどうか、こんどは日本女性と西洋女性の胸をはだけた写真を横から撮って並べて示している。「モンゴル系は、おっぱいが低い」とわざわざ注釈しているのには恐れ入った。ところへ、どやどやと、教師に引率された中学生の一団が上がってきた。まるでモーパッサンの短編小説なみのファルス（笑劇）が始まるのかと、興味しんしんで見守っていると、「エ・アロール（さて）……」と先生が舞妓の前で声を張りあげる。「モンゴル系は瞼が……」

次のパネル――「おっぱい」の――では、どう説明するのだろう。

ところが、目ざとく私の姿を見つけた悪がき（ゴス）どもは、先生の言葉など聞かばこそ、一斉にこっちのほうばかりを見る。なにしろ、パリ中でまだ日本料理屋が一軒しかなく、日本人が珍しかったころである。町を歩けば「ジャポネか？」ではなく、「カンボジアか？」、「ヴェトナムか？」と聞かれるのがせいぜいだった。おまけに、悪いことに私は一重瞼ときている——解剖学的に。しかし、生きた標本にされてはたまったものでないので、反射的にその場を飛び出した。
と、突如として、そこは、骸骨のオンパレードだったのである。

未開人種の作ったミイラ、髑髏、仮面の類が、化け物屋敷さながらに押しひしめいている。と思うと、どういう気紛れか、フランスの誇る知性、デカルトやサン＝シモンの頭蓋骨までが、続いて現れるのだった。文明も、野蛮も、一皮剝けば同類との洒落であろうか。いいかげん、これだけで毒気を抜かれた格好となったが、アフリカからオセアニアに至る百鬼夜行のごとき髑髏と仮面の群れが、髪を振り乱し、牙を剝いて、これでもかこれでもかとばかり追いすがってくる。逃げようにも、迷路のごとき通路は逃げ場がない。わけても、装飾をほどこした髑髏と、猪の牙を口端に差しこんだ髑髏からは、むかつくばかりの呪いを感じた。そのときであった——ナチス将校が、殺害した捕虜の頭蓋骨を机に飾った写真を思いだしたのは。

まさに未開と文明を同列に見ようとする独創的ヴィジョンが、そこにはあった。

たしかに、どっちの装飾髑髏も、人間を剝ぎ取って一個の仮面たらしめている点においては通じ合っている。「悪魔」とは、ユダヤ―キリスト教文明においては、「人間を分裂破壊せしめるパワー」として定義される。牙を生やした仮面をかぶり、装飾をほどこした髑髏を机上に飾るということは、呪力の働きでそのパワーを自らに帯びようとした未開人種の呪術行為より野蛮でないという保証はない。

こう思ったとき、一見乱雑な化け物小屋めいたここのディスプレイは、それこそは考案者の意図にほかならず、まさに自分はその術中にはまったのだと気づいて、うろたえさせられた。ナチス将校の例を連想したのはおそらく妄想ではなかった、いや、そこにこそ、人間博物館がもたらそうとする啓示があるのかもしれない。「人間」は、ここでは拡大解釈されている。その見えざる文明世界の夜が、非人間的未開文明の闇と接して、青白い朧(おぼろ)な地平線を形成しているのではなかろうか。

というのも、人間博物館こそは、ずっと後に知ったことなのだが、実はフランスのレジスタンス活動の発祥地にほかならないという、驚くべき偶然があったのだ。同館創始者の文化人類学者ポール・リヴェは、熱烈な愛国者だった。ヒトラーに屈服したペタン元帥に「貴下はフランスに無用の人」と弾劾文を発して公職追放され、同館を秘密基地として同志の蹶起へと乗り出した歴史上の人物だったのである。

しかも、それに呼応してレジスタンスに身を投じ、アウシュヴィッツで九死に一生を得て、最後は愛する日本で死んだあるヒーローが、我が畏友にして師匠、アルフレッド・スムラー氏にほかならなかった。

性と、死と、悪霊――と書いた。

それらを、のっけから、どんと打ち出すことによって、人間をめぐるちっぽけな合理的解釈を逆転せしめようとする意図が、いまや、明白であった。

そうである以上、もはや何を見せられても驚くまい……

が、それにしても、天神様ならぬ怖い細道を抜けて、広々したフロアに出て、やれ嬉しやと首をめぐらし、右手奥に奇怪な女体の突っ立つのを見たときには、またも背筋が寒くなった。近づいていくと、壁面に「ホッテントットのヴィーナス」と大書されている。生けるがごとく、褐色の全裸の若々しいレプリカが、乳房を突き出し、釣り鐘のように丸々と臀部を出っ張らせている。マリリン・モンローも顔色なし。が、それ以上に奇怪なのは、これぞ、この種族の超美人のしるしであろうか、大陰唇を両膝のあたりまで垂らしていることであった。

説明には「フランス革命の年に南阿で奴隷として生まれ、二十六歳でパリで死んだサールチエ・バートマン嬢」としか書かれていない。が、後刻、某書を読んで分かった。彼女は英蘭二国で「男たちの玩弄物」とされたあと、ナポレオン治下のフランスに連れてこられ、折からの「科学的人種差別主義」にもとづいて自然博物館で徹底分析され、次のように分類されたということが――

「オランウータンと同類」と。

進歩主義とは、せいぜいそんなものである。

つまり、植民地主義と裏はらの思想であり、それゆえにこそ、人間博物館からこれらの展示物はすべて一掃されねばならない運命にあった。まことに遺憾なことに！　私の帰国と同じ一九七四年に、「白色人種の優越」を示すものとして「ホッテントットのヴィーナス」は撤去され、その後、南阿のマンデラ大統領から返還を迫られるも拒否されている。二度ともはや展示されることはあるまい。

先生に引率された中学生の一行は、さすがにこのヴィーナス像の前までは来なかった。どんな「解剖学的」講義がなされるか、見ものだったろうに。

館内をすべて見終わって一階のホールに出ると、南側一面に張りめぐらされたガラス窓の向こうは、もう夜だった。

オランダのライデン民族学博物館を訪ねたときの印象が、またも思い返されてくる。

そこには、エスキモーから南米アマゾンの現地人に至るまでの生活の多様性が、孔雀が尾羽をひろげるように彩りゆたかに展示されていて、ちょっとした人類の祭典といった楽しさがあった。おまけに、日本の部屋は、まったく独創的なものだった。「宮本武蔵」ただ一人をもって代表されていたからである。『古木鳴鵙図（こぼくめいげきず）』を始めとする武蔵の名品が一堂に集められていた。びっくりしていると、白皙（はくせき）という言葉がぴったりの長身の紳士が近づいてきて話しかけてきた。「もちろん、ぜんぶ、複製ですよ……」同館の著名な東洋部長、オウデハンデ氏だった。ともあれ、館内を一巡して外へ出たときの後味は悪いものではなかった。古い風車がまだ町中に残る運河のほとりを歩きながら、人間世界の多様性に対する抒情的郷愁に、ちょっぴり浸っていた……

ここことは正反対に――。

ここは、黒のエクスタシー、なのだ。そう云っては云いすぎだろうか。

しかし、安易な人間観に「ノン」を突きつけることでトロカデロ人間博物館は成り立っていたのだ。何が「進歩」か、と。

切っ先を突きつけられたように私は、この反論を、あるコーナーで、さらに秘密の一点を覗いたときに電撃的に感じとった。髑髏仮面、ついで「ホッテントットのヴィーナス」を見て脳天を一撃され、ふらふらとフロアを横切って反対側のコーナーに出ると、こんどは突如として氷河期だった。紀元前十万年以上も昔、オーリニャックからマグダレーニアン期と呼ばれる旧石器時代の人間が洞窟で彫った鋭い線描の平石が、何十個か、ショーケースの中に点々と立てられている。これを見ているうちに、何かの雑誌で読んだことがふと想起された。ある角度から見ると、飛んでもないしろものが隠されているのが見つかるというのだ。そこで、トナカイの角のような単純な線ばかり刻みつけた石の群れを、いろいろと透かし見ると、あった！　他とはまったく異なるデッサンだった。なんと、帽子をかぶり、ドレスを着込み、ブーツを履いた女性像なのだ。せいぜいが獣皮をかぶり、燧石（ひうちいし）で火を起こしていた、あの時代に！　カニュラール（悪ふざけ）であろうか。

しかし、この手の不審物――「オーパーツ」？――は、ここ人間博物館の倉庫にはごろごろしているらしい。

しかし、また、進化論は絶対だ。それを引っくり返さないところで科学は成り立っている。とはいえ、「抵抗」をも止めないとの、これは石表示、いや、意志表示なのであろうか。

文化的抵抗と政治的抵抗が、ここでは一体なのであった。

人間博物館が対独レジスタンス運動の起点となったのは、従って偶然ではなかった。

回転ドアを押して外へ出ると、パリの夜だった。

灯火をかかげる女神像の円柱に挟まれたテラスから、真正面にエッフェル塔を一望するエスプラナード（見晴台）へと、足は自然に運ばれていく。十二月の夜気にコートの襟を立てた恋人たちが、なだらかに下る石段に、そこかしこ、石像のように立ちつくし、その向こうの広場は、テールライトの渦巻く文明の光の洪水だった。

獄中の「フジタ」

その後、何日間か、夢魔に襲われるように私は過ごした。

猪の牙を生やしたあの仮面が、なぜか執拗に憑きまとってくる。そこから、「牙の夜」という怪奇小説を構想したほどだった。現代人は牙を抜かれている。人類史の悲劇は無牙であることに由来している。倫理面から云って、牙を持つことが人類最大の進化である。ある最近の輝かしい考古学上の成果によって、かつては人類も牙を持っていたことが発見された。イエスに匹敵するある大宗教家が「強くあれ」と説いている。「なんじ、左の頬を打たれなば、相手を打ち返せ」……。ざっとこんな逆説的筋立てで。

かつて抱いたこともないそのような呪詛に自分の心がどす黒く染まっていることに気

づいて、顎然とした。仮面をかぶると悪鬼に変身する男を描いた映画を思いだしたりした。いま思うと無知も甚だしいことだった。あの時代——両次大戦間——にヨーロッパに恐るべき「悪」が台頭しつつあり、それに対抗して、それに劣らぬ力を持った人間像を打ち立てようとする文化的運動が起こり、そこから人間博物館という名の牙城も建てられたのだということを、なぜもっと学ぼうとしなかったのだろう。

その後わかったことだが、一九三七年に人間博物館がオープンしたときは、隣国ドイツでヒトラーが総統の位置に就いて三年目だったのである。ド・ゴール将軍から直接に叙勲されたレジスタンスの英雄にして、いまは亡き我が畏友、アルフレッド・スムラーは、同館がまだトロカデロ民族学博物館と呼ばれていたころに、そこのアジア部門チベット課主任研究員として人生の第一歩を踏み出したのであった。のちに私の勧めで執筆した回想録、『アウシュヴィッツ186416号日本に死す』で、かの衝撃的展示法について、こう彼は証言を書き残している。

ここでは新しいミュゼオロジー（美術館学）の方法にもとづく展示が次々と試みられ、美術文芸の革新をせまる一九三〇年代の熱狂的世情の反映、先端として瞠目された。

続いて、こう伝えている。

「民族学博物館」、変じて「人間博物館」となったことは、パリにとって記念碑的な文化上の大事件であった。その新館開館式は、『人間博物館のためのカンタータ』演奏をもって華々しく挙行された。ロベール・デスノス作詞、ダリウス・ミロー作曲による世界再生を謳いあげた名曲で、ストラヴィンスキーの『春の祭典』に比べても遜色がない。そこに表された人類の希望が、やがて勃発する戦争によって木っ端微塵に粉砕されようとは、誰ひとり知るよしもなく……

ところで、ここに不思議な因縁がある。「レジスタンス」という言葉が「対独地下抵抗運動」の意味で初めて用いられ、かつそれが秘密裡に活版印刷されたのは、一九四〇年からのことで、まさしくこの人間博物館においてだったということである……

*

*アルフレッド・スムラー『アウシュヴィッツ186416号日本に死す』（竹本・吉田共訳、一九九五年、産経新聞社）

レジスタンス戦士スムラーとは、かねて私は渡仏前から東京で面識があった。最初は、AFP通信などの特派員として朝鮮戦争で活躍した人という程度の認識で、前身のことは何も知らなかった。ところが、一九六〇年、「アイヒマン事件」で一躍、彼は脚光を浴びた。ユダヤ人大量虐殺の直接責任者の一人、アイヒマンが、潜伏中のアルゼンチンでユダヤ諜報機関により捕らえられて処刑された事件で、その折、日本にもアウシュヴィッツの生還者がいるということを読売新聞がスクープした。ここから、ある女性雑誌――いまはその名も懐かしき『マドモワゼル』――の依頼を受けてインタビューしたことから、私は、驚嘆すべき彼の冒険的人生を知るに至ったのである。

そのとき聞いたエピソードの一つが、妙に心に残った。ゲシュタポに捕らえられ、アウシュヴィッツに送られて、拷問され、囚人番号を刺青されながらもスムラーは、同時に投獄された親友の著名詩人デスノスとともに、絶望で死にゆく同志を励ますためにある奇計を案じたというのだ。それぞれ偽の「手相見」と「夢占い師」に扮して、士気を鼓舞した。死を前に、人間に生き抜く力をあたえてくれるものは、「越えた世界」との交流であろうかと、こう聞いて私は深く感ずるところがあった。

人間には、超越的な「悪」に対して、それに打ち克つ同じく超越的な何かが必要なのだ――絶対に。

「悪」は、ガス室にばかりあるのではなかった。スムラーの回想記のプロデューサー兼翻訳者として私は、アウシュヴィッツの只中に「世にも陰惨な解剖学博物館」なるものがあったと知らされた。ある日、「病理学ブロック」という建物に足を入れて、彼は見たという。建物の半分を占めて、犠牲者たちの解剖された内臓、刺青された皮膚、唐竹割にされた頭部の半分、南米の「ヒヴァロ族風に」干し固めた頭部、等々が陳列されているさまを。

「これを狂乱と云わずして何と云おうか」とスムラーは絶望の声を発する。「痩せさらばえた死骸は、素っ裸のまま、淫猥な形に組み合わされ、日ごと夜ごと、強制収容所の真っ只中、火葬場の入口に山積みにされていた。誰ひとりこれに注意するでもなく、これらの死骸は、灰となれば、糞尿と混ぜられて肥やしにされるだけだった……」

ナチス強制収容所は、いまや「ショア」の呼称でユダヤ民族殲滅の象徴となったが、スムラーのように純粋のフランス人でありながらレジスタンス戦士ゆえに政治犯として投獄された人士もあった例をも、忘れるわけにはいかない。ゲシュタポに捕らえられれば拷問と死は必至と知りながら地下抵抗に挺身した勇気は、「ゴーロワ魂」とでも呼ぶべきか、深く私の尊敬するところである。と同時に、極限状態のさなかで人は何によって業苦に耐え抜くかについて、スムラーの生きかたは最上の手本を示すものと受けとってきた。勇気と責任感——そして愛、これである。

ヴィクトール・フランクルの『夜と霧』において、骨と皮に痩せ細ってフランクルが他の刑囚たちとともに絶望の行進に駆り立てられていたさなか、実際はそのときには既に他界していた妻が眼前に顕れて、微笑して励ましてくれたと告白する箇所は、まさに圧巻である。

生死は究極には関係ないということを、われわれはそこで学ばされる。あの世とこの世はセパレートされていない、彼岸と此岸は一つものである、そのことが真に人間を生かしめる根底であると信ずるうえに、もはや霊能者は要らない。まことの愛とは、この超越性にほかならないということの明証を、この偉大なオーストリアの精神分析学者はもたらしてくれた。

アルフレッド・スムラーの場合には、さらにこれに星々が加わる。これは彼が本質的に詩人だったからであろう。かなりの「ドビュッシー弾き」だったことのほかに。アウシュヴィッツから、さらに悪名高いブッヘンヴァルトへと移送され、そこの獄窓は部屋の高みに「リュカルヌ」(明かり取り)——私はこのフランス語が好きだ——が一つあるだけだったが、そこから彼は星々の回転を眺め、星々をむすぶ見えない糸が、愛する人と自らとをむすび、自由へと引き出してくれる唯一の可能性だと直感して、これに祈った。

一篇の詩——ソネット——に託して。

とはいえ、書いたのではなかった。強制収容所には、ペンも紙もない。ひたすら詩句を脳裡に刻みつけ、のちに米軍に救済され、奇跡的にパリに生還してから、ようやく紙に記すことができた。

『アウシュヴィッツ186416号日本に死す』の原文中にも、この詩は出てこない。同書の原稿とは別に、アルフレッドは、そっと私にそれを見せてくれた。まことに感動的な一篇で、同書の拙訳に付録として掲げさせてもらった。以下に写し取って、偉大なこの友へのオマージュとしたい。*

*この詩の原詩は手元から失われた。強制収容所からの生還者たちの詩を集めたある詞華集に収められているらしいが、まだ目にしていない。

*

星宿　アリアドネの糸　　　アルフレッド・スムラー

われは視つむ　風鎮まりゆく夜を。

空には輝けり　ここにも　大洋にも
グラントゥルス、オリオン、アルクトゥルス、北極星(ポレール)
——あまたなる星宿が。
いまし　われは思ふ　こころゆるせし　かのひとを。

……靭(つよ)き　この絆、星より星へと通ひて
しかと　われを引きいださん　この苦難の運命(さだめ)より。
しかして連れ戻さん　生地獄の責苦より
かのひとのかたへと　誇らかに　わが望みを。

おゝ　至福の憩ひ　奇しき逃避よ
ありしまま　まぼろしは眼交(まなかひ)に立ちもどる
わが身を焦がせし声も　心とろかせし香油(ナール)も。
昨日(きそ)の面影　ことごとく明日とはなりて
星々のあはひに　われは堅く抱きしむる　その顔を

フランスの胸ぬちに　わが胸の胸なる　愛のかたちを。

——ブッヘンヴァルトにて、一九四四—四五年

*

星を描いた「人間キャンヴァス」が獄中を転々したという奇譚を知って私共が感動したのも、アルフレッド・スムラーの同じ回想記のおかげである。

なんと、あのモンパルナスの画家フジタ（藤田嗣治）が詩人ロベール・デスノスの背中に彫った「大熊座（グランド・ウルス）」の刺青が、「強制収容所の只中に生ける美術作品として鎮座していた」というのだ。

スムラーはこう書いている。「星々の間を点線でつないで軀幹を形づくり、わずかな線描で描きあげた毛むくじゃらの頭部に達し、全体をブルー一色に染めあげている」

フジタの最初の妻だったモデルのユキが、親友デスノス夫人となった間柄であればこその、筆のあそびだったのであろうけれども、何となくこのエピソードはわれわれをほっとさせる。

……僕は　こんなに歩き
こんなに語り
こんなに君の影を愛したので
君のことは　もう何も僕には残されていない。

デスノスが、アウシュヴィッツに護送されるまえにひそかに愛妻ユキに送った「最後の詩——影」は、これまた絶唱である。

北極星を中心とする七星は、その絵と不可分のデスノスの肉体とともに、ブッヘンヴァルトからチェコのテレジンまで到着し、そこで火中に投じられて燃えつきた。

スムラーとデスノスは親友だった。腕に入れ墨された囚人番号さえも、連番だったほどである。ただ、スムラーのほうは生き延び、愛する日本——若き日にシャンゼリゼーの満鉄社員だった——で八十三歳の天寿を全うした。前記のごとく私は、渡仏前からスムラーに敬意を抱いていたが、十一年後に帰国してからわざわざまた会いに行った。パリが私を変え、理解を深めていた。わけても、スムラーが初就職した人間博物館を訪ねたおかげで、悪をも含む「トータルな人間性」に目覚めたことが、彼の獄中体験になおもぐっと近づけてくれた。

有楽町の外国人記者クラブで何度も会い、ぜひ体験記を書くようにと奨めた。記者クラブでスムラーは、尊敬はされていたものの、今風の他のフランス人記者たちが「反日」の空気に汚染されていくなかで、むしろ孤立しているようにみえた。スムラー自身、もう「歴史」は卒業して、いまは日本名「須村」を名乗り、日本橋の三越劇場で常磐津を語るなど、悠々たる余生を楽しんでいるようにみえた。いずれにせよ、そのようなヒーローを口説いて、二冊の重要な本――『アウシュヴィッツ186416号日本に死す』と『反日悪宣伝』――を書いてもらうことに成功したことを、ひそかに私は誇りとするものである。

人間博物館は、かくして、私にとって、西洋文明の悪への一つの通過儀礼の場となった。未開文明の悪霊がそこにはひしめいているが、そんなものは、この絶対悪に比べたら可愛いものである。ましてや日本の「妖怪」など、お愛嬌ものだ。なぜなら、人間博物館の隣室は、お化け屋敷やジャングルではなく、アウシュヴィッツ、さらにはブッヘンヴァルトだったのであるから。

運命は、人間博物館からスムラーのもとへと私をUターンさせた。

悪と戦う人間の高貴なる何物かを、レジスタンス発祥の地として、同館は、輝かしい名誉とともに保持している。神と悪魔の戦いの西洋二千年史の、ほんのとばくちに私は立ったばかりだった。

第三章　革命と騎士

五月革命と文楽

一九六八年春、「五月革命」は勃発した。

最初、パリ西部のナンテール大学に左翼学生の騒擾が起こったとき、誰もそれがフランスの屋台骨をくつがえすメガ地震に発展すると思った者はいなかった。事件の仕掛け人として一挙に歴史舞台に躍り出たのは、ダニエル・コン＝バンディというドイツ系の金髪学生だった。わずか二、三週間で火の手はアカデミズムの牙城、ソルボンヌに飛び火し、さらに全仏に拡散する勢いを見せた。しかし、誰もそのときには知らなかった――オリヴィエ・ジェルマントマと名乗る青年が反革命側の闘士として浮上し、圧倒的な敵勢力と対決して共和国救済をアピールすることになろうとは。

オリヴィエ・ジェルマントマは、ソルボンヌのジャン・グルニエ教授のゼミで知り合いになって以来の私の旧友で、作家として大成した。私より十一歳下の同じ獅子座生まれで、日本では『日本待望論』の著者として知られている。

時に、革命の仕掛人ダニエル・コン＝バンディは二十三歳、オリヴィエは二十五歳という若さだった。しかし、前者に比べて後者は日本でまったく伝えられることはなかった。両者ともに、二〇一七年現在、いまなお健在である。ダニエルはドイツの「緑の党」を後ろ楯としてＥＵの議員となり、オリヴィエはド・ゴール研究所代表を経て作家となった。数奇な運命の巡り合わせにより、私は、共和国の希望の星となった盟友オリヴィエ君の奮闘を間近に目撃する立場に置かれようとしていた。

五月一日の鈴蘭祭が過ぎたその翌々日、突如、ソルボンヌが「抗議派」学生たちに占拠された。警察が五百名を検挙して暴動を抑えにかかったが、暴動はカルチエ・ラタン全域に広がった。フランスのお家芸ともいうべき「バリケード」――『レ・ミゼラブル』の読者にとっては懐かしい名だ――が路上に築かれ、数千人の学生と、「ＣＲＳ」と呼ばれる武装警官の「青兜隊」とが激突した。学生は大学行政への、労働者は企業管理への「参加」をもとめて糾合し、ゼネストが各地に広がった。国の機能は痲痺し、共和国は崩壊の危機に瀕した。

パリでいちばん美しい季節といわれる五月の街路は、ゴミ収集車も来ないまま無惨に汚物が散乱し、異臭が漂っていた。これはもう旗を巻いて帰国するしかないかと、そんな考えさえ、いっとき、私の頭をよぎった。しかし、義務感がそれを食い止めた。文化相マルローの推進による日本文化紹介は着々とこれまでその実を挙げてきている。争乱の中心地、カルチエ・ラタンの国立劇場オデオン座では、折しも日本から到着した桐竹紋十郎一座の文楽がいままさに公演されようとしている。不安を抱きつつも私は、毎日のようにそこに通って準備に立ち会ってきていた。渡仏から六年目、美術展の組織や講演活動やらの貢献を認められて私は、民間から初めて起用された日本大使館の文化技術顧問という地位に就いていた。松井明大使をはじめ、三代の日本大使のもとで大いに活動した。歌舞伎、能、宝塚歌劇と、つぎつぎと来演する日本演劇を紹介し、今度は文楽のパリ初演ということで待機していた。いよいよ今日が初日だ。たとえ爆弾が投げつけられようと開幕は成功させるんだと決意していた。

レニングラード街三十番地の我が家を出ようとすると、大家のブリュザン夫人に出喰わした。

「パリ・コミューンのときのほうが、もっとメシャン（悪質）だったわよ」と夫人は云った。十九世紀後半の大流血の記憶は、まだパリジャンの中に生きているらしい。「それにしても」と笑いながら彼女は付け加えた。「あのコン、バンディとかいうドイツ男、名は体をあらわすって、このことね。だって、二つも立派な賓詞（エピテート）がくっついているんですもの！」

「コン」はフランス人好みの「女陰」の卑語、「バンディ」は「匪賊」だ。五月革命の敵方ヒーローもこれでは形無しだと感心していると、エレベーターに向かう背中に声が飛んだ。

「それでも気をつけてね！」

旗を巻いて帰国するなどという、女々しい迷いは吹っ飛んだ。

いかにも、革命は革命、文化は文化である。

いや、かかる時こそ、文化の本領は験（ため）されるのではないか。

メトロ・オデオン駅で降りると、そこの四辻（カルフール）は叫喚の渦だった。「ディザン・サ・シュフィ！」（十年で十分だ）のシュプレヒコールを挙げながらデモ隊が練り歩いていく。ド・ゴール政権黄金の十年に対する何という引導の渡しようかと、きりきり胸に刺さる。対する青兜隊のヘルメットと楯が夕陽にきらめく。今宵も衝突は必至だろう。

幸い、四辻から真っ直ぐ南に延びる劇場までの通りは空いていた。木戸口を通って、すっかり馴染みになった舞台下手の囃子方の小部屋に入った。そこから格子窓ごしに、前列客席を真横から見渡せる。桐竹紋十郎（二代目）の至芸は、どこまで争乱に打ち克ってパリジャンを呼び寄せられるか。目を凝らして私は客の入りを見つめた。残念、せいぜい客席が半分ほど満たされたところで、第一幕『壺坂霊験記』は始まった……

幕が下りると、しかし客の喝采は儀礼の域をこえていた。

座長のジャン＝ルイ・バローが壇上に飛び上がった。

「これは、世界で最もノーブル、最も美しい、最も偉大な芸術です……」

やたら「最も」が続く。だが、空疎に響かないのはさすがだった。

私自身、深く感動していた。盲目のお里が、舞台中央の、反り橋の上で長い黒髪を逆立たせ、義太夫が一声高まったときの戦慄美――。桟敷が揺れているのが、真横から手に取るように分かる。これぞ、日本の至芸だ！　信仰と愛で、目は開く。運命に打ち克つこの力が、外の暴力にも立ち向かわせるのではないか。

翌日もオデオン座に行き、驚いた。満席だったのだ。パリは一夜にして情報が走るとは知っていたが、この変化とは……

例の囃子方の格子窓から覗くと、前列は、イヴ・モンタン、ブリジット・バルドーなど、著名芸能人がぎっしりだった。私にはその理由が十分に推察できた。最初、フランス人は、「ブンラク」とは人形劇と聞いて、西洋の子供劇のマリオネットぐらいに考えていたのが、間違いと分かったのだ。まさしくこれは「最も偉大な芸術」である、と！

その大入り満員が最終日まで二週間続いた。外では髪振り乱した過激派と機動隊の間に火炎瓶が飛び交っているさなか、それに劣らぬ烈しさで、劇場の丸天井――マルローの委嘱でアンドレ・マッソンが描いた――の下では、感動の拍手とブラヴォの掛け声がますます高まっていったのだ。サ・セ・パリ……これぞパリだ！

ロシア革命のさなか、モスクワで日本の歌舞伎が公演されたときも、こんなだったろうか。なんと、皇帝ニコライが殺されようというときに、『忠臣蔵』が演じられ、その「赤穂城明け渡し」の場の舞台構成がエイゼンシュテインにインスピレートして、「モンタージュ」技法を産み出させることになったという。これは、のちに篠田正浩監督から聞いた話の受け売りであるが……

割れるようなオデオン座の喝采を目のあたりにしながら私は、「大事は苦難の中で達成される」とのマルローの言葉を噛みしめていた。そうだ、あのとき、私も、重い録音機をかかえて走ったではないか。日本に再起をうながした文化相マルローのアピールを中断させた陰謀に抗して、ただひとり、小雪の舞い翔けるお茶の水の外濠の夜の中を。同じような夢幻的光景が現出しようとしていた。私は、学びつつあった——。

文化芸術は、暴力の外の静謐の中で創造されるだけではなく、それとの闘いをとおして達成されるものであると。

鳴りやまぬ喝采が耳朶にまだ鳴りつづけるのを聞きながら、紋十郎師匠を囲んでわれわれはオデオン座裏のテラスに出た。われわれとは、ジャン＝ルイ・バローと、文楽一座のマネジャーと、私である。さっきまでの義太夫と三味線の音色に代わって、シュルシュルシュルという火炎瓶を投げる音と炸裂音が鼓膜を打った。螺旋階段を下る踊り場から、わずか百メートルほど先の四辻の光景が目に飛びこんできた。何千という怒りたける群衆が、バリケードを挟んで対峙する青兜隊の楯ぶすま越しに、蒼白い光条を曳くコクテル・モロトフ（火炎瓶）を一斉に投げているのだった。津波のようにじりじりと押していく反乱者群のほうが優勢らしく、政府は軍隊を出動させよという怒声も聞こえてくる。「ア・バ、ド・ゴール！」（ド・ゴール・くたばれ）の大合唱が鬨（かちどき）のように上がった。「大丈夫ですか」とバローがこちらを振り返った。このあと、ある日本びいきの画廊主宰のパーティに紋十郎師匠を連れてきてくれるよう、私は頼まれていたのである。

「人間国宝だ。怪我のないようにお願いしますよ」

不安げなマネジャーの声に送られ、桐竹紋十郎の赤子のように小さい手を引いて私は車に乗った。バローが屈んで手を振った。オデオン座座長としての、それが彼の姿の見納めだった。すぐこのあと、彼は、この国立劇場を極左学生たちの集会場として明け渡し、これがマルローの逆鱗にふれて馘首されてしまったからである。

五月十八日――

機動隊が催涙ガスを撒く中で叛乱は全仏に及び、この日付が「五月革命」の別名となった。

十日後、ソルボンヌで過激派の大集会が開かれるとの報せが入った。天下の形勢を見極めるため、私は見に行こうと決めた。まさか、そこで、オリヴィエ君の悲壮な挑戦を目撃することになるとも知らずに。

「一人」対「ソルボンヌ全共闘」

五月二十九日午後——

カルチエ・ラタンの中心、ソルボンヌの正面は、青兜隊によってぎっしりと固められていた。その周辺にはさらに、通りという通りが、ピケを張られた黒山の群衆が押しひしめいている。

これが本当に、ついこの間まで、天下の碩学たちが講筵（こうえん）を敷いていたフランスの最高学府なのであろうか。いまや、ミスティシスムなど、くそ喰らえだ。建物の壁には、ビラがびっしり。奇妙なことにそれらは、しかし、現実味は希薄で、呪詛と夢想のこんぐらかった稚拙な願望のごとくであった。

——「選挙は、コンの罠だ！」

――「禁止を禁止せよ！」
――「舗道の下に、海岸を！」
――「とことん楽しめ！」

フランス的イロニーの常套句、あの「コン」が、ここでも幅をきかせている。ちなみに、私がフランス文学の学生だったころ、この語はまだ禁語で、印刷される場合には、まだおずおずと「c＊＊」と書くような可愛さがあった。それがいつのまにか「コン」と堂々と印刷され、まさに恥部*まるだしとなった。

＊女陰を意味する卑語をもって軽蔑や罵倒を表す風習は、わが日本の文化体系にはない。「ファッキング」にしても同様である。

ところで、「舗道の下に、海岸を！」などは悪くない洒落だ。のちにセーヌ河は、夏場、ヴァカンスに行けないパリジャンのために「プラージュ」（海岸）と称して開放されたが、これなどは「五月革命」のレガシーかもしれぬ。「とことん楽しめ！」に至っては、ヴォルテールの『カンディッド』の箴言のもじりで、自由と快楽主義をこきまぜた安直ぶりが丸出しだった。

正門に近づくにつれ一段と激しくなった揉み合いの中で、見憶えのある背高ノッポの学友を見かけた。グルニエ教授のゼミに顔を出している若いポーランド人の神父である。

ソ連統治下の祖国独立のため、パリで地下活動を行っていた。そのことが分かったのは二年後の「三島事件」のときのことだったが。「おおい、ポニアトスキー」とその名を呼んで手を振ったが、向こうも気づいたものの、殺気だった揉み合いの渦の中で引き裂かれてしまった。

普段は身分証明書を見せて入る正門も、今日はフリーパスだ。押し合いへし合いして通り抜け、大講堂へと向かった。通りすがりに中庭を見ると、そこもぎっしりの人波の中に、取材班をまじえた日本人らしきグループを見かけた。世界同時革命を合言葉に、日本も学園紛争が広がりつつあり、東大では全共闘会議が開かれようとしている。パリはどう動くか。ソルボンヌのこの大集会が一つのモデルを示すだろう。のちに、ある日本の評論家が、発表した記事に、こんな一言があった――「五月二十九日、ソルボンヌの中庭から仰いだ空は、青かった……」

気のきいたことを云ったつもりだろうが、洒落にもならない。それに、ドラマは大講堂の中で起ころうとしていたのだ。

定員一千人ほどのその空間は、倍もの人数にふくれあがっていた。それでも私は、演壇に向かって左側、階段桟敷の通路の一角にもぐりこむことができた。見回すと、「全国学生抗議集会」でありながら、労働者団体からもだいぶ紛れこんでいるらしく、桟敷席を囲んでその上方に迫りでたトリビューン席（階廊席）の前面壁に、各種左翼団体名を記した赤旗がずらりとぶらさがっているのだった。やがて、家庭持ちの労働者が、坊ちゃん学生とは付き合っていられないと退いていくまえの、しばし両者の蜜月関係の一時期だった。

荘重な半円形桟敷の空間は、古典劇でも見にきた気分を起こさせたであろう、もし、ここを占拠した群衆が、ほとんどジーンズ姿の、髪振り乱した猛々しい連中でさえなかったならば。

だが、これらの種族をつくったのも、パリなのだ。三色旗のもとに。サルトルを評してド・ゴール将軍が云った言葉が思い出された。「仕様がない。あれもフランス人のうちだ……」

ある者たちは細長い机をばんばん叩き、ある者たちは「ド・ゴール、くたばれ」を連呼し、またある者たちは「ラ・マルセイエーズ」をがなりたて……というふうに大騒音を立てる光景を、丸天井の下の龕（がん）の中の、バックライトで浮き上がった六人の偉人——創設者のソルボンをはじめデカルトやパスカルら——の胸像が、粛然と見下ろしている。全部で十基をも数えるトリビューン席が空中楼閣のように組み合わさり、そのうちの二つが龍頭のように両側から延びていった先に、徐々に空間が狭まって、舞台があった。幕はなく、背景に、舞台幅いっぱいに、十九世紀の古びた、しかし優雅なスタイルでシャヴァンヌ描くところの「賢王たち」の図柄が広がっている。東洋なら、さしずめ、竹林の七賢人といった図か。

セーヌ河を挟んで、オペラ座とオデオン座の天井壁画は、それぞれマルローの命によってシャガールとマッソンの二画家が描きなおしていたが——轟々たる非難のもとに——、ここ、アカデミズムの牙城までは、さしもの文化大臣の威令も及ばなかったものか……そんなことを考えていると、会議開始のベルが鳴り、もじゃもじゃの髭面の男が真っ先に演壇に駆け上った。

開口一番、こう吠えた。

「諸君、老いぼれド・ゴールは、尻尾を巻いてバーデン・バーデンに逃げこんだぞ」

満場、割れんばかりの喝采。

「いま、この瞬間に、われわれと呼応して、アメリカから日本、ブラジルに至るまで、学労一体の地球的規模の革命が達成されようとしている。これは二十世紀最大の文明革新運動なのだ！」

ウォーという歓声。

これを皮切りに、何人もの若者が続々と登壇し、拳を振りあげてまくしたてた。その紋切り型の左翼用語には閉口させられたが、我慢して聞いているうちに、だんだんと乱雑な中にも彼らの「主張」なるものが見えてきた。自分たちはヴェトナム戦争反対であり、アメリカ帝国主義、資本主義、特にド・ゴールの権力主義を敵とする。ド・ゴールはわれわれの運動を只の「乱痴気騒ぎ（シーアンリー）」とこきおろした……

「そのド・ゴールだが」と、こんどはイタリア人革命共産主義者と名乗る男が口を開いた。「われわれは、左派政治屋どもが漁夫の利を得て政権奪取するのを阻止しなければならない」

ついで、煽動（あじ）った。

「だから、さあ、みんなでエリゼー宮に攻めこもうではないか」

ふたたび、ウォーという歓声。が、まえより弱々しく、誰も席を立つ者はなかった。

「みんな、どうしたんだ」と男はすごんだ。「夢にみた権力奪取のチャンスなんだぞ」

一瞬、場内は、しんとした。「頭を冷やして考えなおせ」という野次が飛んだ。これはまずいと見たのか、いやに顔の白っぽい、インテリ然とした青年が次に壇上に飛びあがって、イタリア人と交代した。こう口を開く。

「同志の云うことはよく分かる。だが、俺たちはすでに青兜隊と市街戦をやりあった仲じゃないか。その結果、政府も折れて出て、おととい、ブルネルの約定が結ばれたばかりだ。われら学生の盟友とする労働者諸君の組合代表が、ポンピドゥー首相とかけあって、実質賃金値上げという成果を勝ち取ったんだ。これを無にしてはならない」

「じゃあ、どうするんだ」

ふたたび場内から声が飛ぶ。

「いいか、われわれは、只の極左主義者（ゴーシスト）と云われちゃならないんだ。そんなのは十九世紀の遺物だ。これに対してレーニンは、つとに、『共産主義の小児病』という本を書いて批判したじゃないか。この立場を堅持し、その先へ行くのでなければならない。幸い……」

と、胸を張って弁士は云った。

「われらの偉大なコン・バンディ同志が新しい本を書いた。その名も『極左主義（ゴーシスム）』というんだ。これは、老人病としての共産主義への治療薬を提供してくれている。これから町の本屋に出るところだ」

今度は共感的な拍手が起こった。

「こうした状況を踏まえて、誰か他に発言する者はないか……」

場内を見回す。

もう開始からかれこれ二時間は経っている。

その間、マルクス主義者たち——主に毛沢東派とトロキストたち——の抽象論議をさんざんに聞かされ、さすが場内の空気は飽和状態に達したかのようであった。演壇の青年は、最後に漸く拍手の出たのに気をよくしたのか、次のスピーカーを探すように場内を見渡して、ふと前列の挙手を見て指名した。

敏捷に壇上に駆けあがったその人物を見て、私は仰天した。

なんと、オリヴィエ君ではないか。

先の弁士は、彼を見知っているようだった。

やあ君かといった素振りを見せたが、明らかにマイクを渡すのを躊躇しているようだった。場内はざわめいた。私の周辺でも、異質の匂いを感じとったのか、「誰だ、あいつは」といったざわめきが上がった。

そんな空気を物ともせず、オリヴィエは、ひらりと演壇に立つと、いきなりマイクに向かって第一声をこう放った。

「真実のみが革命的であるとレーニンは云った」

これは熱烈な喝采を引き起こした。

誰もが同志と思ったことであろう。

だが、そこでオリヴィエは、両の拳でどんとテーブルを打った。宣戦布告か、武者震いか、いや同じであろう、その両手はぶるぶると震えていた。私の陣取った階段桟敷前方の通路からは、演壇は、かなり近々と斜め右方向に位置していたから、友の緊張は手にとるように見えた。断乎たるその姿勢にますますおびえたかのごとく、先の発言者はオリヴィエの左袖を引っぱった。しかし、それを振り払うかのように、今度はオリヴィエは両腕を組んだ。西洋ではこれは反対の意思表示だ。場内は一瞬、息を呑んだ。

「資本主義社会に対抗して、その元凶たるドルに対抗して、ヴェトナム国民のように弾圧された国民のためにこの革命をやるというなら、大いにけっこう……」

拍手が起こりかけた。が、次の瞬間、それは凍りついた。弁士はこう言い放ったのだ。

「……だが、この革命とやらを、われわれは、飽くまでもド・ゴールと一緒にやるんだ！」

たちまち場内は大混乱となった。

くそ野郎、ファッショだ、敵の回し者だと怒号が乱れ飛び、何人かが舞台に駆け上がろうとした。狼狽したのは先の発言者で、自分も同類と見られたら大変とばかり、いちはやく、不埒な発言者の背中を押して舞台下手の戸口から外へと押し出した。私も後を追おうとしたが、混乱のなか、身動きがとれない。

オリヴィエ・ジェルマントマはどうなったか。

答えを見いだしたのは、数年後、彼が出版した『ネズミ船長』というエッセイの中である。そこにはこう書かれていた――


廊下の片隅に僕は放り出された。

そこには、「とことん楽しめ」の文字が、蛍光塗料で描かれた大きな毛沢東の顔に媚びを売っていた。

逆襲のシャンゼリゼー

五月三十日――

その朝、フランスは、突如として一人の若きヒーローの出現を知った。

「学生オリヴィエ・ジェルマントマ」の名が各紙の一面トップに踊ったのだ。そして以後、事態の収束まで、その名がニュースから消えることはなかった。

フランスには新聞の戸別配達はないので、いつものようにその朝、私は、近くのクリシー広場のキオスクで「ル・モンド」と「フィガロ」――つまり「朝日」と「産経」のフランス版ともいうべき——を買い求めた。と、ソルボンヌを占領した学生たちの事件を報ずる一面のトップに「学生オリヴィエ・ジェルマントマ」の名を見いだして一驚した。しかも、その日のうちに大勢をひっくりかえす決定的出来事がさらに生じようとは、誰もまだ予測せざることだった。

ましてや、オリヴィエが、その主役となろうとは——。

ド・ゴール派による「シャンゼリゼー大行進」の逆襲が、その日の午後に粛々と実行を準備中だったのだ。そのエンジンとして、ピエール・ルフランとオリヴィエの、叔父甥間の連携プレイが快打を放とうとしていた。

時間を前夜に巻き戻そう。

ソルボンヌの過激派集会で毛沢東の「顔」と対面してから、オリヴィエはどう動いたのか。争乱の中で私は彼に追いつけなかったが、彼自身の記録によってそのあとを追ってみよう。

ソルボンヌを出た足で彼はカルチエ・ラタンを横切って、ソルフェリノ街のド・ゴール派の根拠地へと向かっていた。道すがら、オデオンの街角で敵側の一群と出喰わしている。そこは皮肉にも、かの恐怖政治の巨魁、ダントンの銅像の立っている場所だった。

「おい、ファッショ」と、その中の一人が呼びかけてきた。「老いぼれの負けだ。おまえも荷物をまとめて退散しろよ」

たしかにその時点では革命側は勝ち誇っていた。そこから見えるオデオン劇場は、文楽の終わったあと、抗議派に占領され——というよりもジャン＝ルイ・バローが城を開け渡し——建物の破風には赤旗と黒旗が並んで夕風にはためいている。ソルボンヌとオデオン劇場、カルチエ・ラタンの二つの最高学術文化施設が落城し——私はたまたまその双方を目撃した——、政府の主要通信機関が占領され、おまけに元首が「逃亡した」とあっては、たしかに共和国の命運危うしとみるほかなかった。

しかし、オリヴィエは引き下がらない男である。

呼びかけた男に向かって、「米ソ二大国の帝国主義の間にあって」と静かに応じた。

「フランスには本来のスピリテュアルな使命がある」

そんなことを云ったたって通じる連中ではない。だが、その一点にこそ、奴らと自分たちの本質的違いはあるのだと彼は信じていた。のちに、マルローとの対話で、五月革命を顧みて、「ド・ゴール派は反革命ではない」と見るうえで意見一致している。たしかに、民族自決を押し進めるド・ゴールの政治以上に革命的なものがあったろうか。しかしまた、魂の自由なき独立もありえようか。もっとも、魂だの、スピリテュアルだの云ったが最後、連中は、ブルジョワ、ファッショと決めつけるほかないであろうけれども……

だが、俺は、こういった点がなかなか巧く云い表せないのだと、オリヴィエは自分に腹立たしい思いをも感じていた。それでもなお、口角泡を飛ばし、相手も負けじと云い返し、舌戦は尽きなかった。とうとう根負けしたように相手は云った。

「ジェルマントマ、おまえがコンでないことだけは分かったよ」

フランス語でこの隠語が飛び出すようでは、もはや論議は終わりである。メルシーと、オリヴィエはおどけてみせた。だが、敵もさるもの、嵩にかかってきた。

「おまえはコンじゃないが、頭が変だ。だいたい、システムというものが分かっていない。精神病院に行ったほうがいいぞ」

ご忠告ありがとうと、なおも苦笑いを嚙みつぶしながらオリヴィエは漸くその場から身をもぎ放した。こんなところに引っかかっていては、明日の大事をやりそこねてしまう。そうひとりごちて、いまやカフェの明かりも疎らなサン・ジェルマン大通りを、ひとり、下っていった。

程なく、ソルフェリノ街へと右折する。

その五番地の堂々たる建物を、「ド・ゴール将軍活動支持国民協会」が占めている。

その創設者にして現会長が、オリヴィエの叔父貴のピエール・ルフランなのであった。この建物は、戦後八年間、ド・ゴールを党主とする「フランス国民連合」（ＲＰＦ）の党本部が陣取ってきた。歴史的建造物だ。五月革命から三年後には、マルローを初代会長、ルフランを理事長、そして弱冠二十七歳のオリヴィエを代表とする「シャルル・ド・ゴール研究所」――が、そこに設立されるであろう。

「やあ、どうだったい」

と、ルフラン協会長は眼を細めて甥を迎えた。

数人の仲間が寄ってくる。絶望的状況の中で、みな、勇気を振りしぼって明日の起死回生策に取り組んでいるのだった。

「無念無想の仏教思想をもって」とオリヴィエは答えた。「泥沼の政治戦を勝ち抜くのは容易じゃないと悟りましたよ」

周りは笑った。

若い同志たちの心配そうな表情が幾らかゆるんださまを見ながら、内心、オリヴィエは、その数の激減にショックを受けていた。数日まえまではあんなにたくさん詰めかけていたのに。大半は、ポンピドゥー側に就くか、逃げ出すかしてしまった。残存組には政治屋は一人もいない。一同、将軍のためなら死すとも退かじと決意した面々であるのは心強いが、それにしても……

「将軍はどうなりましたか」

とオリヴィエは尋ねた。バーデン・バーデンに「逐電」したと聞くや、わぁっと上がったソルボンヌ占拠学生たちの歓声が甦ってくる。

「バーデン・バーデン空港でマッシュと会って、すぐ引き返してきた。緊急動員の手配はできたよ」

事態は明瞭となった。ド・ゴール大統領は、ドイツ駐留フランス軍司令官、ジャック・マシュ元帥とバーデン・バーデン空港で会って、軍の忠誠を確認し、要所々々の仏軍動員の態勢を指示してきたというのだ。そのあと、ドイツ市内には入らず、ただちにコロンベーの自邸に引き返してきた。

隠密裡の電光石火の行動を敵方が「逐電」と受けとったのは、かえって好都合だ。マッシュ元帥といえば、第二次大戦下、対独戦におけるルクレール麾下の猛将であり、かの栄光の「解放騎士団」の一員である。さらに、インドシナとアルジェリアの二つの「地獄の黙示録」を切り抜けてきた。アルジェリアで拷問をやったと糾弾されたが、戦時の梟雄（きょうゆう）には違いない。ド・ゴールは、ヴェルダンに全軍の総司令部を置くように、特に戦車二連隊のパリ進撃を用意するようにと、元帥に命じてきたのだった。

内戦の危機を避けうるか否か、明日の大行進が決するだろうと、オリヴィエは唇を噛みしめた。かつてド・ゴール将軍が執務した机の後ろの壁から、その大きな肖像が見下ろしていた。

明けて、一九六八年五月三十日――

巻き返しは、その朝のド・ゴール大統領のラジオ放送で始まった。

「私は撤退しない。議会解散と総選挙を施行する。同志よ、再起せよ！」

天の声に勇気百倍してオリヴィエ軍団は、まず、コンコルド広場に駆けつけた。行進はそこから凱旋門にかけて行われる。五月晴れの陽射しのもと、各地から続々と詰めかける代表団に三色旗を配りながら、オリヴィエは、ロン・ポワン広場まで上っていった。そこの右角に位置するフィガロ新聞社の真ん前に仁王立ちになって、快活に大声を張りあげた。

「おおい、フィガロ、頑張れよ！」

窓からこわごわ出た首が、こっち側がけっこう大人数であるのを見極めてから、安心したように国旗を掲げた。連中は、昨夜まで、集まるのはせいぜい五千人だろうと踏んでいた。ところが予定の二時になると、推定三万人もの群衆が押し寄せるのを見て大慌てだったのだ。
逆に、オリヴィエは思った。
これで、ド・ゴールは救われた、と。

行進が始まった。

第一列の中央にマルロー。その左右に、ドブレ首相やピエール・ルフランを含むド・ゴール派の重鎮が道幅いっぱいに整列し、全員スクラムを組んだ。後方に滔々(とうとう)たる人波が従い、さしもの大通りを埋めつくした。そして全員、雄叫びを上げて、津波のように凱旋門へとシャンゼリゼーを上っていった。

沿道を埋めた群衆は、マルローの姿を認めると、警官隊の制止を聞かばこそ、どっと繰り出してきた。中に一人、素っ頓狂なのがいて、まるで聖体行列でも前にしたかのように「おおい、みんな、マルローだぞ」と叫んだ。こう聞くや人々はなおのこと雪崩を打って行列の前に押し寄せ、争って「世紀の伝説」の偉人の体に触れたがるのだった。その日、誰の目にもマルローはド・ゴールの名代ともみえたから、無理からぬことではあったが、恐れをなしたのはオリヴィエたちで、思わぬ味方の妨害を整理するのにおおわらわだった。

もみくちゃにされたヒーローを、ちらとオリヴィエは眺めやった。が、周りのなすに任せて、平然たるさまである。幾多の戦場で培った友愛の発見を、むしろ、楽しんでいるのだろうか。

蜜蜂の群れのごとき取り巻きとともに、マルローを船首像とする巨船が、激昂の声に満たされて、凱旋門のかたへと、いま、滑っていく。無事、進水した、だいじょうぶ、われわれは勝つだろうと、天下の大通りを群衆とともに小走りに駆けながら、熱い思いのこみあげてくるのをオリヴィエは感じていた。

「誰だ、あのギャルソンは？」

「シャンゼリゼー大行進」をもって、敢然とド・ゴール派は逆襲の火蓋を切った。いっぽう、不測事態にそなえて戦車団がパリに南下する気勢を示し、警察が強化され、治安は回復された。

現金なもので、翌日早々、ガソリンが「戻った」。

争乱の仕掛け人、コン・バンディの逃走が伝えられた。革命より休暇を選んで、愛人とともに車でどこかへ、それこそ「逐電」するのが目撃された。「金髪のダニー」は、いったん、ここで歴史上から消える。つぎに再登場するときは、ドイツ「緑の党」の後押しによるＥＵ議員「緑のダニー」に変身しているであろう。

ソルボンヌとオデオン座は解放された。赤旗と並んでオデオン座の破風に掲げられていた不吉な黒旗は下ろされた。元来、この種の黒旗は海賊が使っていたものだが、ファシストのシンボルとなり、アナーキスト一般のマニフェストともなった。「五月革命」でそれが使用されたということは、運動のアナーキー的性格を露骨に表すものにほかならなかった。

ド・ゴール大統領はただちに議会解散と総選挙に打って出て、国民の支持結束をはかった。それに先立って、ド・ゴール派の総蹶起大会がパリのエキスポ会館で開かれようとしていた。私はそこでふたたびオリヴィエの雄姿を見ることとなった。

一九六八年六月二十日――

天下分け目の光景を見たいと思い、夕刻、二，三の友人とともに会場に向かった。ところが、行ってみると、さしもの大会場も超満員で、入りきれない人々が場外に溢れている。しかも武装警官が並んで周辺を固めている物々しさで、どこにも入りこむ余地がない。警官の一人に私は泣きついた。

「大学の友人が出演するので、入れてください」

ヘルメットをかぶった巨漢は、参加票の提出を求めた。そんなものは持っていないと答えると、では絶対に入れないという。押し問答をしていると、別の警官が近づいてきた。事情を聞いて、「おい、入れてやれよ」と同僚にいう。「喜ばせてやれ」という一言が頼もしく聞こえた。問答を聞きながら私は、フランス文学の大家、辰野隆博士があ る随筆で書いていたのは本当だなと思い出していた。役人には赤鬼と青鬼がいるというのだ。ここでも赤鬼は、絶対にノンだという。大いに落胆したが、ふと視線を点ずると、場外の一角に巨大スクリーンが高々と設営されている。押し問答をやめてそっちのほうへ向かった。

会場内の光景が映し出された。興奮した一万人あまりの聴衆の顔々からカメラはパンして、演壇を映し出す。最初の弁士がマイクの前に立つ。ポンピドゥー首相だった。「私は、いささかノスタルジアをこめて思いかえす……」と、沈静な低音で語りはじめた。「五月十八日以前の、秩序が保たれていたころのフランスを……」

六年間、ド・ゴールのもとで首相をつとめてきたポンピドゥーは、つい四日まえに、危機を巧みに利用して「共和国防衛国民連合」（UDR）なる組織を立ちあげたところだった。どう転んでも、ポスト・ド・ゴールの政権を引き継ごうとの布石に相違ない。

だが、大衆の目に、そんな野心はまだ映っていない。翌日の新聞に「普段の温容と打って変わった凄みのある語り口……」と書かれた記事を見て私は、なるほど巧妙なコントロールだと思った。

いまやとっぷりと暮れはてた夜のなか、場外に立ちつくす人々とともにわれわれはスクリーンの映像を見上げていた。ポンピドゥーの演説が終わると、次に大写しになった顔を見て私は思わず、あっと叫んだ。なんと、オリヴィエだった。私の連れの一人、ジャン＝マルク・タピエ君——美術評論家ミシェル・タピエの長男——も、「まさかオリヴィエが弁士になるとは思わなかった」と呆気にとられている。

天下分け目の総蹶起大会で、ポンピドゥー、オリヴィエ、マルローと、三人だけに選ばれた弁士の、彼は一人だったのだ。

これが、ついこの間まで、グルニエ教授のゼミでおずおずとした小声で語り、「プティ」と綽名されていた学生なのだろうか。五月革命が突如、歴史舞台へ引っぱりあげたとはいえ、二十四歳の白面の一青年の顔を見知っている人は稀だ。ソルボンヌで彼を叩き出した左翼系は、ここには来ていない。はたせるかな、われわれが立っている周りでも、「誰だ、あれは」と云い合う声が上がった。ましてや場内は好奇心の渦だろう。ところが、この未知の若者がひとたび口を開くや、聴衆に戦慄が走ったのだ。

のちに私は何度もオリヴィエの講演を聞き、日本ではその通訳まで買って出たほどだが、彼の演説――それも政治演説――を聞いたのはそのときが初めてだった。それだけに、歳に似合わぬ落ち着きぶり、間の取りかた、論点のえぐりかたには、ほとほと舌を巻いた。

「十年前、政権復帰に臨んでド・ゴール将軍は」と彼は切り出した。「あの悲劇的な一言をマルローにこう洩らしました……」

その当のマルローが、雛壇の、やや離れた位置で聴き耳を立てている。しかし、そのときにはマルローでさえ、まだオリヴィエを知らなかったのだ。

「あゝ、これで、きっと私は、フランスの若者たちの姿をもういちど見ることができるだろう、と。その若者たちが、しかし、精神を病み、バッカス祭ならぬ乱痴気騒ぎを、いま、やっている。お祭りならお祭りで、けっこう。しかし、彼らには、世界が見えていないのです。いかにして彼らに、目が覚めたら自分たちは惨めな囚人にすぎないという真実を知らしむべきか――」

熱烈な喝采が起こった。秩序回復を訴えるポンピドゥー首相の凡々たる交通整理的スピーチを、一挙に打ち消す純情の力を、未知の若者の言葉は持っていた。ぴんと張った眉、まっすぐ据えられた涼しい目、スクリーン上に大写しになった顔が、一段と声を張りあげた。

「紀元前、つとに詩人ホラティウスはこう歌った。《ローマは亡びたり。いざ、幸福の島に逃げゆかん》と。しかし、もし、その島が岩だらけの不毛の地だったとしたら、どうなのか——」

またも、喝采。聴衆が身を乗り出すのが感じられる。

「扇動家たちは、五月革命だと勝ち誇っています。だが、僕は云いたい。こんなものは屁理屈屋どものカーニバルにすぎない、と」

オリヴィエはそこで、嚇と開いた口をすぼめ、侮蔑の意味で、ぶぅっと小さな音を立てて息を吐き出した。思いもかけぬ千両役者ぶりだ。私は鳥肌が立った。結びの言葉はこうだった。

「われわれの活動は、ド・ゴール大統領とともに、米ソ二大国に抗して、独立を欲する世界の諸民族にとっての希望を体現しているのであります！」

わあっという歓声と、一斉に床を踏みならす地響きが、建物の内部から外まで伝わってきた。

スピーチが終わるや、マルローは驚いて、「誰だ、あのギャルソンは？」と叫んだという。

そのマルローの、続いて真打ち登場となった。内容はマルロー名演説の一つとして現代に伝わっている。文明の名において彼は語り、それは彼以外の誰にもできないわざだった。

学生たちが何よりもわれわれから期待しているものは、希望である。しかし、希望のかたわらに、甘美きわまりないニヒリズムという古い否定的感情があり、これが突如、黒旗をかかげて再現してきたのだ。そこには、破壊のほかには何の希望もない……

五月革命が示すものは、何物かの終わりであって、始まりではない。西洋文明の終わりであろうか。

この文明は、一つの寺院をも、一つの墓地をも創建することができなかった。何もかもを教えることができても、人間となる道だけは教えることができなかった……

八年前、東京の日仏会館で、日本の魂に呼びかけてわれわれ聴衆のすべてを感動させた、あの予言者的声音を、ふたたび私は耳にしていた。

ポンピドゥー、オリヴィエ、マルローという絶妙な三者の配列によって、総蹶起大会は、オリヴィエの代表する新世代が、ポンピドゥーのポピュリスムに従うのではなく、マルローに象徴されたド・ゴールのフランス魂を継承するとの意思を表示した。しかし、このあと、ポンピドゥーは、「ローマの反乱」と呼ばれる反ド・ゴール宣言によって「威信の政治」に幕引きをはかるのである。

もちろん、エキスポ会館の大会は総選挙の勝利を目したものであったから、マルローの演説は、将軍の歴史的貢献の偉大性をたたえ、その支持を訴えることに雄弁のかぎりを尽くすものであった。ここから、選挙結果そのものは与党圧勝に終わった。しかし、それにもかかわらず、ド・ゴールの命運は尽きようとしていた。いや、むしろ、自らの命脈を断とうとしていた。誇り高き将軍の心は、五月革命——挫折したとはいえ——で譬えようもなく傷ついていたのだ。ここから将軍は、国民の信頼なき政治はこれ以上遂行しがたいと判断し、確たる信頼の証を見るべく、年改まって一九六九年四月に、さらに賭けに出た。側近の必至の諫止を振り切って、元老院改革という取るにたりない事案を国民投票にかけ、あえて民意の帰趨を見極めようとしたのだ。マルローはこれを将軍の「政治的自殺」と評した。事実、僅差で将軍は選挙には勝ったものの、わずか二，三パーセントの差では政治は行いえないとの理由で、翌年、大統領職を辞したのであった。

「文明」の名のもとに、あの夜、マルローが悲壮なトーンで語った言葉は、事件と政変をこえて生きつづけ、二十一世紀への指針として深くフランス国民の心に刻みつけられて今日に至っている。

思えば、私自身、異邦人でありながら、一つの共和国——フランス第五共和国——を創建した歴史的偉人ド・ゴールの政権を、終始、マルローをとおして内側から見守る立場に立ってきた。ある意味で、幾分か参加者であったかもしれない。ド・ゴールの令息であり精神上のフランスの元首とも見なされるフィリップ・ド・ゴール提督や、カンボジアのシアヌーク殿下とともに、唯一の日本人参加者としてド・ゴール論集に寄稿もしてきた。この資格においていうのだが、一九五八年から六九年までの十一年間は、ただのド・ゴール政権期間だったのではない。われわれ日本人にとっては、それは、武士道の日本への畏敬に始まって五月革命で終った、ド・ゴール＋マルローの二天才の連携による「大和魂の秘託」の実践期間だったのである。

＊『レルヌ叢書』(Cahier de l'Herne) 第21巻「ド・ゴール特集」収載論文、「日仏《白刃》論」、一九七三年／『ド・ゴール＝マルロー二重肖像』(プロン社、一九八七年) 収載論文、「ド・ゴール＝マルローの文武両道」

次に到来した時代は、ポンピドゥー、ジスカール、ミッテラン……と続く官僚政治の時代だった。しばらくは、ド・ゴール主義という錦の御旗が物を云った。が、たちまちそれは破れ小旗となった。「ド・ゴールのあとにド・ゴール主義なし」とのマルローの予告どおりに——。

ド・ゴール主義、またはド・ゴール思想の何たるかについて、私は、それから六年後に、日本の一番の高みでマルローの口から発せられた定義を傍聴する僥倖を得るに至った。ついに実現された皇太子明仁親王・美智子妃両殿下への御進講の席上で、遠来の騎士はこう申しあげたのだ。

「与野党の差、わずか二、三パーセントでは、もはや民主主義は機能しておりません」

「では、それに代わるものは?」

との殿下のご質問に、マルローはこう答えたのだ。

「威信の政治というものがあります。ある意味でそれを体現したのが、ド・ゴール将軍でした」

通常、民主主義の反対は、独裁主義、または全体主義とされる。が、「威信」(プレスティッジュ)という名を冠した政治もありうるのだということを、そのとき初めて私は学ばせていただいた——通訳の立場で。

日本のメディアで、初手からさんざんに、極右、独裁、君主制などとレッテルを貼られたド・ゴールだったが、日本人はそろそろ冷戦時代のこうした左翼史観から解き放たれてもいいころである。私は、コロンベーの将軍の実家を訪ねたことがあるが、欄間にずらりと飾られたニクソン以下の世界の元首からのオマージュには目を見張った。日本でこれに比肩する何かを求めるとなれば、明治天皇の崩御にさいして世界中から寄せられた厖大なオマージュしかないであろう。まさに、威信の政治——日本にも、これがあったのだ。

「越えて見る」芸術的世界観が、力の支配する政治の原理より下位に置かれない、そのような世界は可能であろうか。

ド・ゴール＝マルローの連帯は、一度はそれが可能であったという奇蹟を示している。奇蹟は一度しか起こらない？——たぶん。

が、それだけでも素晴らしいことではなかろうか。まことの愛と同様に。

孤高と孤高の精神の火花の散った出遭いから、それは起こった。

連帯の時は終わり、それぞれ孤高にかえる時が来た。ド・ゴール将軍は、その勇気をもってマルローをも感嘆せしめた愛妻イヴォンヌひとりを伴って、スペインの荒涼たる風の中へ旅に出た。遺言によって智慧遅れの娘の墓の脇に葬られるまでの、暫しの間を。

若きオリヴィエ・ジェルマントマは、その跡を追った。「閣下、われわれはあなたを愛しています」との国民から付託された手紙を持って。

マルローも、隠栖先のヴェリエールの里で、別の風の中に入った。『神々の変貌』三部作残り二冊の完成が彼を待っていた。

私にとっては、やがて共にたどる日本への路の、それは始まりだった。

第四章　ジャンヌ・ダルクの館

城への招待

晩秋のある日、レニングラード街三十番地の拙宅まで一台の車が迎えに差し回されてきて、それに乗った瞬間から、私にとって高度の異次元への旅が始まった。

パリでは、この家を貫いて南北に走るラインが我が人生の吉兆線ともいうべきものだった。それは、パリ市を貫く垂直軸とほぼ重なっていた。ジャンヌ・ダルクは、南のオルレアンから北上してパリを解放し、ド・ゴールは反対にノルマンディーから南下して凱旋門をくぐった。

私は人生で何回かパリ生活を送ったが、不思議と、いつもこの線上に住んだ。ほかならぬオリヴィエ・ジェルマントマ君が、ド・ゴール政権崩壊後、古いマレー地区からパリ・モードの中心街、サン・トノレ街に引っ越してきて、何度かそこに泊めてもらったが、これまた南北線の中心に位置している。そこを一歩出れば、「オルレアンの少女」の金色まばゆい騎馬像が剣を抜いてオルレアン方向を指している。周知のごとく、旧サン・トノレ門の激戦で負傷しつつもジャンヌが奮戦したればこそ、パリ解放はあった。ずっとのちに、大学定年後、七十歳になんなんとして、二度目のパリ長期生活を送ったが、そのときも不思議と、オルレアン門に近い南北軸上のアレジア地区だった。しかも、介護騎士団団長の館跡の、その名も「騎士団長（コマンドゥール）」街の一角に建つ、切石の建物で——。

そんなわけで、締めて十八年間ぐらいに及ぶ長い自分のパリ生活は、なぜか、つねにこの南北軸を外したことがなかった。

さて、世はド・ゴール時代からポンピドゥー時代に替わって五ヶ月後、晩秋のある日、例のレニングラード街三十番地の拙宅に一台の瀟洒たる車が差し回されてきた。その向かった先が、またも吉兆線上にあったことは自分にとって僥倖の極みともいうべきことだった。

それこそ、ジャンヌ・ダルクゆかりの道だったからである。

車は旧サン・トノレ門を突っ切って、セーヌ河を渡り、パリ市を囲む三十三の門の一つ、その名も「オルレアン門」から市街を出た。すると目の前に、なんと、「オルレアン方向」という標識が現れた。そこから真っ直ぐ、延々と「オルレアン街道」を下っていく。直進すること三十分ほどで、行く手にヴェリエールの森が見えてきた。その手まえ、長い屏ごしに、鬱蒼たる樹木が影を落とすシャトーへと近づいていく。

政界引退後のマルロー隠棲の地を、初めて私は訪ねてきたのである。

しかし、まさかそこが、世に秘せられたジャンヌ・ダルクの血筋の一族の棲むところとは、まったく知るよしもなかった。

*

話はちょっと脇道に逸れる。

「地縁」、「時縁」というものがあると、すでに書いただろうか。

私見によれば、いわゆる「偶然の一致」現象は、この二要素のどちらか、あるいは両方とかかわって生ずることが多い。自分にとって、そのとき向かっていたヴェリエール——正確にはヴェリエール・ル・ビュイッソン——の里が、南北吉兆線上にあったということは、「地縁」にかかわるものであった。

「時縁」もあった。大いに。

それは、初のヴェリエール訪問が「十一月二十四日」（一九六九年の）だったという日付に表れていた。その日は、翌年自決した三島由紀夫の命日である「十一月二十五日」と、七年後に世を去るマルローの命日「十一月二十三日」に、ぴったり挟まれていたのだ。しかも、フランス時間「十一月二十四日午後五時（ウイスキー・アワー）」は、日本時間「十一月二十五日」＝三島忌そのものだったのである。

なおかつ、初訪問から六年後に、ふたたび三島の死をめぐってマルローと語り合った日が、やはり「十一月二十四日」だった。それからちょうど一巡りの日にマルローは世を去ることとなる。

マルローゆかりの「時縁」ということで、もう一席。

のちに私はマルローを出光佐三翁に紹介し、それが機縁で、マルロー歿後四年目に、出光美術館で超弩級の展覧会――《アンドレ・マルローと永遠の日本》――を企画実行させていただくこととなった。美術館側はその会期を十一月三日から十一月二十三日までと定めた。「文化の日」(旧明治節)から「勤労感謝の日」(旧新嘗祭)までの吉日を選んだわけである。ところがそれは、たまたま、マルローの誕生日である一九〇一年「十一月三日」から命日の一九七六年「十一月二十三日」までと、ぴったり重なっていたのである。そのように佐三翁に指摘すると、さすがに驚いておられた。

この例などは、日本に対するマルローの特別の思い入れがなければ起こりえなかったことではなかろうかと、ひそかに考えている。期日とは、ただの数字ではない。数字に表れた何かが問題なのだ。生死をこえてはたらく念のごときものが、「偶然」と呼ばれるランダムを整合させる方向へとはたらくのであろうか。

事のついでに、もう少々展開しておきたい。

「時縁」は、歴史事象に対してもはたらくもののように思われる。「霊性」と「歴史」の二領域のコレスポンダンスとして――。歴史が物語ではなく科学となってからは、非合理はいっさいそこから閉め出されてしまったから、こうした暗合はナンセンスと云われようが、果たしてそれで済むものかどうか。

たとえば「七月十四日」といえば、世界史でわれわれが学んだことは、こうだった。一七八九年のその日に「バスチーユ攻撃」が起こり、それがフランス革命の記念日になった、と。しかるに、その日は、それに先立って、一〇九九年以来、六百九十年間の長きにわたって、第一次十字軍によるエルサレム王国創建の記念日とされてきたのである。

もう一例。

英仏百年戦争の折、ジャンヌ・ダルクのもと、仏軍が収めた最初の勝利は「パテーの合戦」であった。これについてマルローは追悼記念講演の中でこう述べている。

「それは一四二九年――六月十八日のことだった」と。

フランス人ならば「六月十八日」を知らない者はいない。一九四一年のその日、ロンドン亡命中のド・ゴール将軍からのアピールによってドイツ占領軍に対してフランス国民は総蹶起し、国の開放に至ったのである。

科学は因縁を追放した。しかし、暗合が起こるのは、物質的次元においてではない。人間的真理の次元においてなのである。

*

さて、話が横道に逸れた間、私の乗った車のほうは、一路、オルレアン街道を南下している。

実は、この初めてのマルロー邸訪問には、かねて畏友とする彫刻家の水井康雄氏に同行していただいていた。ミズイは、通称「マルロー法」なる「文化の一パーセント税」——公共建築物の建築費の一パーセントを芸術作品創造の助成にあてる——の恩恵を受けて、フランス各地に壮大なモニュメントを続々と製作中だった。グルノーブルの冬季オリンピック会場にも長さ八十メートルの優美な石壁を作り、現場視察に赴いたマルロー文化相の口から「エクセレント！」と激賞されるほど、共和国「特選（クラッセ）」のアルチストとして高い評価を得ていた。当時は、エトワール広場の前にアトリエを構えていたが、後年、ラコストの、サド侯爵の城の並びに、「彫刻の園」を造り、そこで二〇〇八年に世を去った。

1

3

2

1. 「日本にはなぜ浮彫が無いのか」とマルローは有名な問いを発したが、在仏日本人彫刻家、水井康雄は、ソー県のヴィルフランシュ市に巨大な「バ・ルリエフ」(薄浮彫)の石壁を制作し、仏政府特選芸術家としての名声を高めた。
2. グルノーブル冬季オリンピック会場に出現した水井制作の長さ80メートルの石壁の前に立つ著者。
3. 水井康雄との親交(118頁)

マルローがド・ゴールの傍らで国家要人（オム・デタ）であった間は、一私人にすぎない自分ごときが会いに行くことは憚られた。せいぜい彼の演説会の「追っかけ」であることに甘んじるほかなかった。初めて直接にその謦咳に接したのは、一九六〇年二月、「マルロオに学ぶ会」同人として羽田空港で忘れがたき特訓を授かったときだった。あれからもう九年もの歳月が流れている。しかし、五月革命の翌年、ド・ゴールを追って彼が下野したことから、今日のチャンスが回ってきた。

拙宅前で、一緒に迎えの車に乗りこむや、水井康雄は目ざとく車名を見つけてこう云った。「デーエスですよ」と。

「最高級にシックな車で、シトローエンの前衛車といわれています。ここ数年間だけの限定販売品です」

そんなことを云われても、ハンドルを握ったこともない自分には、さっぱり――。ただ、彫刻家の指さす運転手の前を見ると、そこに「DS（デーエス）」というプレートが貼られているのを見て、ぴんときた。ははあ、これは、「女神」を意味する「DEESSE（デエッス）」のもじりだな、と。車のことは分からないが、マルローの感じかたは分かる。「諸文明と対話した男」マルローのこと、さぞや多くの女神に思いをはせてこれに乗っているのでは……

そんな勝手な空想に駆られて「ＤＳ」に揺られていたが、まさかそれから一時間と経たないうちに、本当にわれわれが一人の生ける女神に引き合わされようとは思いもよらないことであった。

艶なしぐさで左手に細長い煙管を持ち、真っ白いローブを引きずるばかりにして、その女神は現れた。

……と思いきや、それは、ヴェリエールのシャトレーヌ（女城主）こと――ルイーズ・ド・ヴィルモラン女史なのであった。

パリのメディアは、往年の社交界きってのヒロインにして恋多き閨秀作家と、政界引退後のマルローとの恋物語で沸きかえっている最中だった。

老いたるシバの女王――ピエロ・デラ・フランチェスカ描くところの――といった感じの貴婦人（ダーム）は、玄関から広々したサロンへとわれわれを招じ入れながら、その間、こっちが応ずる暇もあらばこそ、ひばりがさえずるようにしきりなしにさえずりつづけていた……。と云うよりほかには、私の耳には聞こえなかった。

これが、三島由紀夫をも捉えたフランス貴族の雅（みやび）、「プレシオジテ」の語り口なのであろうか。粋なのか気取りなのか、こうなると我ら二人のジャポネは、場違いの田舎者

のようにぽかんと佇むほかはない。そんな無粋な客を一瞥するでもなく、伝説のヒロインは、しゃべるだけしゃべると、

「ムッシュー・マルローがお待ちかねです」

と言い残して、煙のように消えた。

すると、舞台で云えば、その引っこみの、下手(しもて)の入口から、代わって、赤いネクタイをきりりと締めたダンディが颯爽と登場した。この人の特徴で、脇目もふらずといった感じで、書斎から、橋がかりの廊下を歩いて——。

マルロー七変化の中の、「ヴェリエール恋道行(こいのみちゆき)」の一幕である。

愛が、若返りの魔法をかけていた。

写真週刊誌『パリ・マッチ』が特集を組んだ「ヴィルモラン家の恋人たち」の、ここが愛の巣か……

世紀の騎士を居城に訪ねるつもりでわれわれは出向いてきた。そして、なるほどと合点がいったのだ。騎士には、跪いて、差し出された手に恭しくベーゼする貴婦人(ダーム)がなければならぬ。生けるタピスリーの騎士物語さながらに。

正面の大きなガラス窓の向こうには、ゆるやかに上る緑のスロープの大庭園が広がっている。そこを、道行きのポーズよろしく腕を組んで散策するご両人の姿に、パリジャ

ンは、やんやの喝采を送ったものだった。いまわれわれが着座したソファの傍らに、写真で見知った小粋なS字型の椅子も見える。そこに斜交いに腰掛けてカフェを口にする艶冶な両人のショットも、甦ってくる。

フラゴナール風の淡いブルーの色調で統一された、有名な「サロン・ブルー」である。そこは、ベル・エポックには、フランスの文人にとって憧れの社交場だった。マルローより一年あと、一九〇二年に、ここのシャトーでルイーズは生まれた。稀なる美貌と詩の才能で次々と一流人士を虜にし、魅惑の翼は国境のかなたをも駈けめぐった。「娘時代から私にとっては二人のヒーローがいたわ。サン・テクジュペリと、マルローよ」と、のちに述懐している。そのどちらのヒーローのハートをも射止めた。『星の王子さま』の著者とは二十歳早々で事実上の結婚生活を送り、『人間の条件』の著者とは、こうして晩年の伴侶となった。それだけでも輝かしい女の勲章だ。が、彼女自身、大スターだった。作家としては『一度は聖女』――云いえたり！――の小説でデビューし、「朗読詩の名手」（マルロー評）として詩壇でも名を成した。映画『ジュリエッタ』ではジャン・マレーと共演して名女優と謳われた。パリに出れば、料亭マクシムがオフィスがわりで、彼女が指一本立てると、礼讃者が我先にと飛んできた。

こんな往年のスーパーヒロインがマルローと同棲というので、世間が湧いたのも無理誤解はない。マルローには長期別居中の正妻、ピアニストのマドレーヌ夫人がいたが。愛がを恐れずにいえば、フランスに不倫の文字はない。「老いらくの」の枕詞もない。フランス人あるか、ないかが、まず問われる。オリヴィエ君のジョークをかりれば、「フランス人は、アムールとなれば、何でも賛成だ」。ルイーズとアンドレの恋の馴れ初めも、パリ瓦版が彩りゆたかに伝えていた。現役の文化大臣時代、たまたまマルローは久々にルイーズとぱったり出遭った。帰途、車に同乗して、「昔なじみ」は話がはずんだ。

と、伊達男は、こう云ったというのである。

「僕は、人生の最後は、あなたと一緒に住むことになるような気がするよ」と。

これは口説きの名文句ともいうべきもので、できれば手本にしたいほどのもの。だが、名優でなければ様になるまい。

「未来のことはめったに口にしないアンドレが、こんなに云ってくれたのよ」とルイーズは有頂天になったというが、さもありなん。

かくして、城への道行きとはなった次第であった。

……と、世間が知っているのは、そこまでである。

さらに、こんにちでは、「ネット」が何でも教えてくれる。ところが、ある事柄だけは、どこを引っかき回しても出てこないのだ。

程なく私はマルロー自身の口からそれを聞かされようとしていた。

そしてそれを知った瞬間から、この国と私の関係は、サロン・ブルーと同じ不思議の色合いに染められてしまうのである。

ルイーズ——愛と死

会話は、「学術的」な話題から始まった。

なにしろ、一世の碩学をまえに、こちらは、その一介の研究者、翻訳者……いや、単直に礼讃者にすぎない。その後、七年間の交流をつうじて、徐々にそれは友情的関係へと煮詰まっていったのだが。

ちなみに、最初、対等な間柄でも、師弟のごとき縦の関係に変わっていくのが日本であり、縦の関係がだんだんと友情的横の関係に変わっていくのがフランスである。

ともあれ、マルローとの差しの会話は初めてのこととて、文字どおり若輩はこちこちに緊張していた。

当然、積年の課題である「サクレ」について聞くことから口を開いた。これに対してマルローは、特に聖書の「ヨブ記」を読むようにと勧めてくれた。
私の無知は、却ってマルローの好奇心を引いたようだった。のちに、最後の訪日中、彼は、熊野古道での啓示を得たあと、帰国直前に東京のフランス大使館で開かれた記者会見席上で、一切の総括のようにこう述べることとなる。「われわれの友（アミ）、タケモトは、初めて私に会いに来たとき、サクレの何たるかが分からなかった。いま、私は、こう云いたい。日本は、洞窟からサクレが再現する瞬間を持っている、と」

こういうところがマルローの偉さかな、と思う。

半世紀にもわたって、彼は、凡愚の質問の意味を逆に自らの問いとして深めていったかのごとくであった。そして問題を、真正の日本の復活は可能かとの問いとして摑みなおし、天の岩戸神話――、つまり根源から、結論を導きだしていたのだった。

ところで、緊張には限界があり、会話にはリズムがある。

その緩急自在をマルローは心得ていた。以後、マルロー最晩年の七年間に全部で八回の対話を私は持つこととなったが、ひとわたり質疑応答的やりとりが済むと、毎回きまって――四回目の東京での機会を除いては――五時の「ウイスキー・アワー」となって、会話の趣向はがらりと変わるのだった。この初回の時からしてそうだった。飲み物を載せた銀盆を前に、さあ、これから飛びきりの打ち明け噺をするぞというふうに意味ありげな微笑をたたえて、談話の妙手はこう云いだしたのだ。

「さっき、あなたがたを玄関で迎えたルイーズ・ド・ヴィルモラン夫人はね、ジ、ャ、ン、ヌ、・ダ、ル、ク、の末裔なんだよ……」と。

まさか！

何というサプライズ！

オルレアン街道の只中に、フランス史上最も高貴な聖女の血筋が生きつづけ、その末裔なるヒロインと、現にこうして眼前の文豪が暮らしているとは……

だが、待てよと、一瞬考えた。

「ジャンヌ・ダルクの末裔（デサンダント）」と、たしかにマルローは云った。

しかし、私は、ルイーズ・ド・ヴィルモラン夫人について、それまで一度もそんな噂を聞いた覚えはなかったのである。

フランス中のメディアが騒いでいるのは、往年の伝説的スターが、政界引退後の文化大臣とヴェリエールの館で愛の巣をかまえたという一事のみである。そもそも「ルイーズ」といえば、つとに社交界で幾つもの浮き名を流した閨秀作家として有名であった。

古くは、前記のごとく、『星の王子さま』の著者、サン=テグジュペリの事実上の奥さんでもあった。反面、ジャンヌ・ダルクとの血縁など、これっぽっちも巷間でささやかれたことはない。

それに、「オルレアンの少女」の「子孫」と云われても、一般にはぴんとこないであろう。なにしろ、「聖処女」でジャンヌは死んでいる。血筋のあろうはずがない。マルローからそのように突然聞かされても、にわかには信じがたい。目まぐるしく、伝記で読んだ知識の断片を頭の中でひっかきまわして考えた。

ずいぶんと露骨なことも伝えられている。出陣にあたって、たしか、シャルル七世の叔母さんだかが、「処女性」を二度も確認している。ジャンヌ自身の潔癖性についてはの挿話が残されている。城壁から英軍兵士の投げる「売女!」という罵声を悔しがっては涙を流し、味方の軍勢に随いて歩く娼婦たちを追い払ったり。純潔と合戦が何でかかわりがあるのかと考えるとすれば、これは現代人の無知というもの。現実に、無垢の乙女が先頭に立ち、自らデザインした「イエス—マリア」という旗を掲げて進んだればこそ、純潔を信じて勇み立った兵士らが讃美歌を歌いつつ行軍したところから、軍隊ならざる軍隊が立ち直り、常勝の英占領軍を撃破して祖国解放への道を切り開いたのだった。

ただし、これを云いかえれば、ジャンヌ・ダルクに「子」はない。何をもってマルローは「末裔」と云ったのだろうか。

すると、こちらの心中を読んだかのように、話者はこう続けたのだ。

「正確には、ヴィルモラン家の人々は、ジャンヌの兄、ジャン・ダルクの血を引いています。ヴァチカンでジャンヌ・ダルクの列聖式が行われたとき、ルイーズの叔母がジャンヌ・ダルクの唯一の血筋の子孫代表として招待されたのです……」

そうだったのか……

それならば話はわかる。

そこで胸の驚きを抑えて、私はこう返事をした。

「ムッシュー・マルロー、あなたは、フランス政府を代表して、ジャンヌ・ダルク追悼記念講演をなさいましたね。私は非常な感動をもってテキストを拝読いたしました」

講演のさわりの章句を暗唱できるほどだった。さっきから、頭の中でその名文句が流れている。何よりも異端審問会の場でのやりとりの場が素晴らしい。

「お前はキリスト教会にお仕えしないのか」

と問われて、ジャンヌは答えた。
「お仕えします。でも、神さまが真っ先です！」
いかなる言辞も、これ以上に見事に彼女を描写しえないであろう。王太子と、高位顕官と、戦士たちを前に、ジャンヌは《本質的なもの》(l'essentiel) のために戦うのだ。世界創成このかた、行動のジェニー（天才）とは、かくのごときである。そしてそのことに、おそらく彼女はその軍事的成功を負っているに相違ない……

万年「王太子」シャルル七世を国王として即位させたあと、ジャンヌは下降運をたどりはじめる。「虚しい戦闘を重ねて」コンピエーニュで捕虜となる。かくして「フランス最初の殉難者となった」

そして最初の炎が燃えあがり、同時に、肺腑をつく絶叫が挙がった。全キリスト教徒の心をつらぬいて、その声は木霊していったのだ。聖母マリアが、曇天のもと、キリストの十字架が立てられたのを見て声を振り絞った、あの絶叫とともに――。

ジャンヌの「絶叫」とは「驚愕」のそれだったと、のちにマルローはオリヴィエ君を*

相手に語っている。つまり、神の救済は来なかった——そのことでジャンヌの死がしばしばイエスの死に比せられるゆえんでもある。日本のキリシタンの殉教を描いた遠藤周作の『沈黙』のテーマの原型ともいえよう。

＊「世界の悲劇と喜劇」（ド・ゴール研究所機関誌『アペル』掲載、一九七四年）

マルローのジャンヌ・ダルク追悼講演は、もう一つ別のテーマをも導入している。多分に男性的視点ともいえようが、これまた聖女伝説においては不可欠だ。ジャンヌは美しくなければならなかった。ヴァージンでなければならなかったと同様に。同じく講演でマルローはこう述べている。

アランソン侯爵は、皆が寝藁で寝静まった一夜、ジャンヌが正装している姿を見た。彼女は美しかった、と侯爵は語っている。だが、誰も欲望を抱きはしなかったであろう。

（……）アランソン侯爵から告解僧、盾持ちに至るまで、ジャンヌを語るときは誰しも、「東方の三博士」がそれぞれの王国に帰って、一つ星が消えるのを見たと語ったような恭しさをもってしたのである……

聖性は、一個の女性を、女神の座へと押しあげた。犯しがたい美、オーラにつつまれた――。

ところで、いいかげん、私の緊張は切れそうだった。

そろそろおいとまをと腰を浮かしかけると、マルローは寛大にも「いくらでもいいよ」と云ってくれた。しかし、強大な精神の放射に打たれて、金縛りのようになっていた。

「よろしい、車でまた送らせよう」

マルローは立ちあがり、水井康雄と私は玄関に出た。

すると、影のようにすうっと向かいの戸口から、ふたたびルイーズが現れた。

こんどは長煙管を持っていたかどうか、覚えがない。

二人して玄関先に立って見送ってくれた。そしてそれが私にとって、佳人の見納めとなった。

一ヶ月後、流行のホンコン風邪でルイーズは急逝してしまったからだ。

アムール共和国フランス

数人の男たちが、枯葉の散り敷いた草原(くさはら)に円陣をつくっている。みんな沈鬱にうなだれ、そろって視つめる中央には、土中に掘られた穴。ゆっくりと、そこに、白い棺が下ろされていく。

テレビがその光景を映し出している。それがどんな場所であるかを示さずに。

ジャン・マレーのほか、誰がいただろうか。

サン・テクジュペリ？　ジャン・コクトー？

いやいや、これらは故人だ。見えないが、でも、そこに立っている。

ほかに、もう一人、生ける亡霊がいる。絶望の形相に深い皺を刻んで、立っているのもやっとといった感じの、一人の老人が。

よくよく見るとそれがマルローであることに、私は愕然とした。

つい先月、あの赤いネクタイをきりりと締めて颯爽と目前に現れたダンディは、どこへ行ってしまったのか。

なんという変化であろう。

青春は歳ではないというのは、やはり本当だ。老ファウストにとってと同様に。しかし、若返りには愛の魔法が要る。その魔法が一夜にして解け、玉手箱を開けた瞬間に、せっかくの異界への旅人を地上の時間に連れ戻してしまった。

ジャン・マレーの顔が大写しとなった。涙を流している。

「ルイーズにはみんな恋していました。もちろん、僕もその一人でしたが……」

『美女と野獣』の続きを見ているようだった。

だがこれは映画ではない。一人の女性を共に愛した男たちが、まるでスクラムを組んでその死を悼むような、ありえない光景に、私は息を呑んだ。

アムール共和国フランス――。

それにしても、名を伏せたその場所は、どこなのであろう。墓地ではなさそうだ。古代ガリアの野辺送りとでも云いたい素朴な風景に、枯葉が一斉に舞い駆けていた。

「城への招待」――というジャン・アヌイの劇作があった――のあと、夢から覚めた思いで私は日々を過ごしていた。

あの日、初めてマルローに会いにヴェリエールに赴いた。それだけでも自分にとっては大事件だった。そこでルイーズ・ド・ヴィルモランなる伝説的妖精に紹介された。しかも、ジャンヌ・ダルクの末裔だという。ますます信じがたい。ところが一ヶ月後には彼女は忽然と消えうせた。幻の城から舞い戻った気分になったのも当然だった。

しかし、厳然たる事実に変わりはない。訃報を聞いて私はマルロー宛に弔電を打った。ド・ゴール将軍をはじめ、世界中から弔意が表されたという。

実際にルイーズと会った人は少なかろう。日本人では私以外にほとんどないのではなかろうか。しかし、マルローが幼なじみと再会して晩生を共にしつつあることを、こんなにも多くの人が祝福していたのだと知って胸が熱くなった。

「勇者のみ、美女に値す」と西洋の諺にいう。芸術世界において、あまたの女神、実人生においてあまたの美女に彩られた文豪ながら、恋物語はマルローの作中に乏しい。『人間の条件』の主人公、日仏混血児のキヨと、その妻メイのエピソードくらいのものであろうか。現実にはマルローは、メイのモデルである最初の妻クララの不貞に傷つき、離婚している。再婚した相手、ピアニストのマドレーヌとも別居し、美貌のジョゼット・クロティスと連れ添って、その間に二男児をもうけたが、相次ぐ事故で家族三人を失った。そのような晩年の孤独の中で見いだした終の伴侶が、ルイーズだったのである。しかし、共にあることとわずか六ヶ月で、またもや無情の突風にさらわれてしまった。

戦時下に轢死したジョゼットを除いては、私は、クララ、マドレーヌ、ルイーズと、マルロー三女神と会っている。さらにルイーズの姪で、その愛の後継者となったソフィーとは、マルローを挟んで日本旅行を共にする間柄となった。

ほかにも、マルロー伝の表面にはあまり出てこない何人かの「女友達（アミー）」をも知っている。さすが、希代の美の目利きのお眼鏡にかなったスーパークラスの女性ばかりで、その中の二人からは特に強烈な印象を受けた。一人は、パリ・オペラ座、ニューヨーク・メトロポリタン・オペラ座などでプリマをつとめた世界的舞踊家、ルドミラ・チェリーナである。映画『赤い靴』でも踊っている。フランス語に「タイユ・ド・ゲプ」（スズメ蜂のようにくびれた腰）という表現があるが、千切れそうな細腰がよく上下の豊満な体をささえていると驚かされるような、奇蹟的美形だった。もう一人は、カトリーヌ・ド・カロリイというハンガリアの貴族で、その気品と優雅さは神秘的にさえみえた。サン・トノレ街のエルメスの有名デザイナーだった。同じ通りの宏大な屋敷に独身で住んでいたが、一度、そこで手料理をご馳走になったことがある。その折、「昭和天皇の奥さまが店にお寄りくださったときに、私のデザインしたバッグを手ずから買ってくださったのよ」と聞かされた。

ルイーズを継いだマルローの終の伴侶、ソフィー・ド・ヴィルモランは、『いまなお愛して』という回想記で、ルドミラ・チェリーナとカトリーヌ・ド・カロリイの二人について、かすかな嫉妬をにじませた「マルローのアミー」といった書きかたをしている。

またも横道に逸れたが、事のついでに、もう少々。

実人生と違って、マルロー文学には女の影は乏しい。ある作品で、「私の愛した女たち」と、たった一言で要約している。反対に、美術論の中では、のびのびと女性美について語っている。マルローを真に魅了した女性性とは、いわば、「女になった最初の女神――ボッティチェルリのヴィーナス」であったかもしれない。

「芸術においては、女性から女神になったものはなく、女神から女性になったものばかりである」とは、けだし、至言である。

行動の作家としてマルローは、つとに、「ギリシア悲劇のヒーローさながらその生涯は点々と血痕をとおして辿ることができる」と云われてきた。くりかえし死線を彷徨し、その道程に添って心魅する女性たちと出遭ったが、かたわら、世界芸術の探索者として、はるかにより多くの伝説的女性像と遭遇した。彼にとっては、はかない今生の愛より、死と競り合うほどに強い神秘性をたたえた古代諸文明の女神たちのほうが、より蠱惑的だったのであろうか。

インドに行って、ラクシュミと名乗る女性と会えば、その名の元である本来の女神はどんなかと考える、といったように。

日本のアマテラスが、なぜ女性なのかは、彼にとって蠱惑的謎であった。

好奇心は募って、探索に乗り出したこともある。『人間の条件』でゴンクール文学賞を取った賞金を使って、飛行機を駆り、アラビア半島に飛んで、旧約外典の謎の「シバの女王」の都の遺跡探しを空中からやってのけている。どこまでも続く隊列を組んで、延々と沙漠を横切り、賢王ソロモンに会いに行き、「すべてを……子種まで授かった」神秘的女性に対して、「モナミ（わが女友達）、シバの女王」とまで呼んで――。

幻影に惚れるまでの、パッション。

神話的ヒロインへの恋。

これは荒唐無稽ではない。伝説、芸術、文化とは、その本質が「むすび」であるところの、つまりは、愛なのだから。

かくのごとくにして、伝説――「オルレアンの少女」の――と現実が一つとなった象徴的女性が、マルローにとって、ルイーズ・ド・ヴィルモランだった。その死によってマルガレーテは消え、老いたるファウストが残された。

波瀾万丈の人生を経て、齢六十八で空虚に直面することは、若き日のロマンチックな虚無感とはまったく別物である。愛妻のサスキアを失った老境のレンブラントについて「もはや彼には芸術しか残っていなかった」と書いた自らの文章を、マルローは思い出さなかったであろうか。

聖女のDNA

それにしても——と、ひそかに私は首をひねっていた。ルイーズの死を悲劇的に報じたメディアの中に、ジャンヌ・ダルクの血筋を匂わせる記事が一つもないのはなぜであろうか。

周りに聞いても、そんなことは知らないという返事ばかりである。あれから半世紀も経った現在、ネット検索をすれば、延々と「ルイーズ・ド・ヴィルモラン」一代記は出てくるが、そこにもジャンヌ・ダルクのジの字もない。

ヴィルモラン家そのものは、フランス切っての名門の一つである。何も知らない人でも——私もそうだった——セーヌ右岸のメジッスリー河岸を散策すれば、流れに向かってずらり並んだ観葉植物やら鑑賞魚類やらの店舗と、その上方に掲げられた大きな「ヴィルモラン」（VILMORIN）という看板が嫌でも目に入らずにはいない。その後、他社との共同経営になったようだが、それでもなお、共和国のみならず、EU圏内での代表的種子種苗会社たることに変わりはない。であればなおのこと、ルイーズの死をめぐってその秘密の血統が話題になってもよさそうなものだったが。「ジャンヌ・ダルクの末裔、死す」——絶好の見出しのスクープとなったであろうに。

《なぜそのことを世間は知らないのだろう》の疑問は、その後、私の中で、《ではなぜマルローは私にはそれを洩らしたのか》に変わっていった。いや、私にというのはおこがましい。日本人、さらには日本と云いかえねばなるまい。中国人相手だったら云うはずがない。フランス人にだってみだりに打ち明けることはなかったであろう。そういえば、と思い出した。最初、マルロー邸に行くにあたって私はオリヴィエ君を誘うつもりだった。ところが、そう提案すると、フランス人はちょっと……と口をにごした返事が秘書から返ってきた。そこで同行を水井康雄に変更したのだったが、その躊躇の理由が意味深く思いかえされてくる。

あのとき、「ウイスキー・アワー」となって、「さっき、玄関であなたがたを迎えたルイーズ・ド・ヴィルモラン夫人だがね……」と微笑をもってマルローは切り出したが、何気ない振りをして、実はこれはとんでもない秘話だったに相違ない。

実際に、そこには、武士道の日本にのみ託すべき秘密があったということが、のちに明らかとなる。だが、それには、ある尋常ならざる事件を経なければならなかった。わけても、ちょうど一年後に起こる「三島事件」を。

しかし、その時点では、そんな途方もない出来事が起ころうとは露知らず、ルイーズの死から暫くして私は、ジャンヌ伝説とヴィルモラン家のつながりを知るためだけに、ふたたびヴェリエールを訪れた。ちょうど日本の女性雑誌『ジュノン』から半年間の連載記事を頼まれたので、これを探訪記事の一つにあてることとした。

建物の玄関を入ると、前回は右手の「サロン・ブルー」に通されたが、今回は左手の奥まった一室に案内された。ドアを開けて目を見張った。

そこには、妙齢のマドモワゼルを含めて、気稟あふれる女性ばかり、全部で十人ほど、ずらりと正面のソファに腰かけて待ちうけていてくれたのである。

「三世代ですよ」と云いながら、白髪長身の紳士がゆったりと近づいてくる。城主という呼び名がぴったりの、口ひげをたくわえた立派な風貌。当家の主人、アンドレ・ド・ヴィルモラン氏その人だった。

「三世代」とは、氏夫妻と、令息ならびに令兄のお子さんたち——その一人がルイーズ亡きあとマルローの執事(グーヴェルナント)役をつとめたソフィーである——、またそのお子さんたち、という取り合わせとのこと。ひとわたり紹介が済んだところへ、勢いよくソフィーが飛びこんでくる。

隣室がマルローの書斎とのことで、挨拶も抜きで、「いま、マルロー氏は、『反回想録』の続篇の終わりを熱中して書いています」という。(私自身は、その前篇を熱中翻

1

2

1. 政界引退後のマルローの隠棲したヴェリエールのシャトー。

2. 著者はマルローから、その一族が「ジャンヌ・ダルクの正系子孫」と聞いて調査に赴く。ジャンヌのDNAを持つ一族女性が勢揃い（141頁）。上方、大きな肖像画は一族の誇りとする閨秀作家のルイーズ。右端、当主のヴィルモラン氏。左から3人目、ルイーズの姪で最後のマルローの伴侶となったソフィー。

訳中だった）

ルイーズ亡きあと、いのち絶えなんとした作家を甦らせたのは、ヴィルモラン氏の姪にあたるソフィーの献身だった。愛の聖火を彼女は叔母のルイーズから受け継ぎ、めでたく、翌年、マルローと揃って訪日を果たすこととなる。

ルイーズだけが、この場に欠けている……

いや、そうではない。生死にかかわりなく、ここでいちばん実在しているのは、ルイーズなのだ。彼女の特大の肖像画が、並んだ女性たちの後ろの壁の中央から見守っている。やはり一家の誇りとする「デエッス」でありつづけている。

それにしても、ぜんぶ女性ばかりをよくも集めてくれたこと！　さすが、種子種苗会社ヴィルモランのご当主ではある。聖女ジャンヌ・ダルクのＤＮＡは、かくも色あざやかな品種として保存されているのだった！

「それは大きなミステールですよ！」

またとない機会に、写真撮影を高田美（よし）さんにお願いして同行してもらっていた。美さんは、ピエール・カルダンの腹心で、当時私はカルダンの文化活動に協力していたことから知り合いだった。ヴィルモラン氏は私たちを宏大な庭園に連れ出した。美さんが抱えてきた愛犬が大喜びで飛び出していく。

ここは植物園として有名なんですねと話を向けると、私共は代々植物学者(ボタニスト)の家系ですので、と氏は打ち明けた。「日本をいちばんよく理解しているフランス人はボタニストだよ」とマルローは云っていたが、なるほど。

敷地は全部で四ヘクタールあり、世界中から千七百種類の樹木が集められ、三十種類の鳥が巣がけしていると説明される。スケールの大きさに驚きながら、七彩に散り敷いた枯葉の小径を、並んでゆっくりと左回りに辿りはじめた。

「ジャンヌ・ダルクの列聖式に、ご子孫がヴァチカンに招かれて列席したとマルローから聞かされましたが、どなただったんですか」

「私の叔母、アルジュゾン伯爵夫人と、その次女でした。私は小さすぎて……。一九二〇年のことですから、十一歳でした」

午後の斜光のなか、ふかぶかとした声が歴史を語りはじめる。

「魔女として焼き殺された十九歳の少女が聖女として全世界に認められるまでに、五百年もの歳月がかかったんですよ。もちろん、それまでにも、救国のヒロインの名は、この国の王侯から農民に至るまで、すべての人々を夢みさせてきました。しかし、教会の名において極刑に処せられた一処女が、教会の名において聖別される、その日が、ついに来たのです……」

語り手の声には、かすかな感動のふるえがあった。ちち、ちちと鳴きながら時おり頭上を飛び駈ける鳥と、足もとに鳴る枯葉の音のほかは、何一つ遮るものがない。

「その歴史的盛儀に出席した叔母がローマから書いてよこした手紙を、一族の者全員が寄り集まって読みました……」

ヴィルモラン家の結束の強さは、最前の女性一団の結集にもかいまみた思いである。

ふと目の前に現れた一本の白まだらの樹木を指さして、ヴィルモラン氏は言葉を挟んだ。「ほら、ここに、北日本産の松の木がありますよ」

「お血筋は」と私は本題に入った。「ジャンヌ・ダルクの兄のジャンから始まると伺いましたが」

「ジャンヌのすぐ上のジャンのことです。その娘のマリー＝ピエールというのが、近くのランドルクール村に住むヴィルモラン家の男と結婚し、それが一族の先祖となったと家族間で云い伝えられています」

「ド・ヴィルモラン……貴族に列せられたのですね」

「ジャンヌがダルク（日本語で「弓取る者」の意）となったことによって、です」

「ご家系図が残っているのですか」

と私は続いて尋ねた。と——

「いや、戦乱絶え間ない独仏国境のロレーヌ州のことですから、私より六世代前の十八世紀の植物学者、P＝ヴィクトワール・ド・ヴィルモランに至るまでは系図は失われてしまって、記録はないのです」

「では、法王庁は、どうやって……」

「法王庁は恐るべき大機関ですよ。何もかも知っていて、何も云わない。答えてくれようとしない。百年後になって、どんなにそれが悪用されるかしれない、というわけでね」

そう云いさして語り手は歩みを止め、

「いや、私には分かっていることがある」

と語気を強めた。

まだ庭園の半分にも来ていないらしい。細い幹が何本も縒(よ)り合って大きな葉を広げた熱帯樹のまえで、じっと私の目を視つめ、声を落として続けた。

「キリスト教会は、宗教裁判でジャンヌを断罪してからも、けっして心平かではなかったのですよ。ジャンヌの聖性を信ずる僧侶たちが裁判官側にも混じっていましたからね。その反対を押し切って火炙りにさせたのは、宗教的理由からではなく、政治的理由からのことでした。私が思うのに、法王庁では、口にこそ出さね、当該事件に対して長い間、絶大な関心を抱きつづけてきたのであって、法王庁のアーカイブを探れば永久に秘密の裁判記録が眠っているということが分かっているのですよ……」

神と悪魔、光と闇を識別するための、何という執拗な追求であろう。この二元論を知らずしてヨーロッパは語れまい。

胸を衝かれて私は、しばし、言葉が出なかった。日本出発以前から概念的に西洋の悪魔のことを考えつづけ、時折、そのしっぽを見る思いできたが、ついに黒い巨体を透かしみた思いがした。

無垢なる者を殉難に追いやる、見えないその影こそは、悪魔であった。聖性の光を、それは憎み、嫉妬し、奪い取って、狼が殺した赤ずきんちゃんの祖母の皮をかぶるように自らを輝かせ、成りすましをやってのける。五百年間、フランス史上最大のそのドラマの舞台となった一族の中心に、ついに私は立ったのだ……

次から次へと見知らぬ木々が行く手に現れ、小径はその中をうねっていく。

すると、急に、どこか澄んだ気配の立ちこめるクレリエールの中に出た。（クレリエール……私の好きなフランス語語彙の一つだが、適当な日本語が見つからない。辞書には「林間の空き地」という訳が付いているが、無味乾燥で使いたくない。そのまま、響きのいい原語を使うとしよう）。半円形に灌木で囲われた、かなり広々した一画で、一面に枯葉で覆われている。静かに、脇で声がした。

「あそこに、姉のルイーズが眠っています。でも、どこに埋められたか、誰にも分からずに、遺言に従って……」

ここが、墓なきルイーズの墓だったのか。往古の風習に倣って、土葬にされて。テレビで放映された、あの光景が甦ってくる。どこども場所は特定されていなかった。ささやかな穴が掘られ、その周りで男たちは涙していた。いまは見えない黒々とした土が見え、どこにも墓石がない不思議な埋葬だったが、謎は解けた。

言葉もなく私はあたりを見回した。

目の前に、枝を下方に垂らしたヒマラヤ杉の巨木が、見事な緑のスロープを縁取って徐々に下降し、どっしりとしたシルエットを遠近に浮き立たせている。その樹幹のかなたに、初冬の夕陽を受けてシャトーの白壁が映えている。建物の真ん中あたりがマルローの書斎で、右側がさっき女性集団が寄って出迎えてくれた部屋、左手が「サロン・ブルー」だ。いま、書斎でマルローは、さっきのソフィーの言葉をかりれば『反回想録』の続篇を「熱中して書いている」のであろう。(正続合わせて『冥界の鏡』と名づけられるに至る超大作の、この続篇を、ついに私は懶惰にも訳さずに終わってしまった)。そう思ったとき、稲妻のように閃いた。

そうだ、あのクレリエール……、愛する人に日々書斎の窓から視つめられる朽ち葉の一角に、ルイーズは埋められたいと望んだに違いない、と。

ヒマラヤ杉の間を私たちは下りはじめた。昔はこちら側から道が通じ、そこを馬車が館に往き来していたとマルローは語っていた。現在、小さな玄関となっている向こう側は、当時は裏口にすぎなかったらしい。建物の一番手前の巨木に近づいたとき、ヴィルモラン氏はふたたび口を開いた。

「先日もテレビで、ジャンヌ・ダルクについて、伝説派と歴史派の間に論戦がありましてね。やれ彼女の手勢は二千騎だったの、八百騎だったの、といった具合にね。だが、そんなことはどうでも宜しい！」

またも語気鋭く云い切った。

「全フランスが屈従の憂き目に遭っていたときに、ジャンヌひとりが決然と立ってそれを解放したということ、これは真実ではありませんか」

「《王太子が王太子であることを疑い……》」と私は、声の調子を上げ、マルローの演説を引いて答えた。「《……フランスがフランスであることを、軍隊が軍隊であることを疑っていた世界にあって、ひとり、ジャンヌは、軍隊を、王を、フランスを再建したのだ》と」

「そのとおり！」

「しかし、どうしてそのようなことが可能だったのでしょうね」。

「おゝ、ムッシュー・タケモト、それは大きなミステールですよ！」

城主は歩みを止め、両腕を開いてこちらを振り向いた。まるでルイ何世といった感じの、おっとりしたうりざね顔の前に、二、三片、黄葉が散る。

「ロレーヌ州の十七歳の少女が、神の啓示を受け、不幸な王に会いに行った。これは疑いようのない真実です。結果は、国民的愛国心を喚起し、祖国を救った。なるほど、その後、伝説が輪をかけた。それも、最初まず、彼女が実際に伝説的行為を成しとげたからなのですよ」

「伝説なくして祖国なし……」

と、写真を撮りながら同行してきた高田美さんが、初めて口を開いた。

「そのように、詩人のラ・トゥール・デュ・パンも歌っていますわ」

高田美さんの愛犬、ラミスのあとを追って、その三倍も大きなセッターが、向かいの茂みに一散にまろび駈けていく。

「ラルフィノ！」と呼び戻すヴィルモラン氏の声は、まさしく領主のそれであった。が、その声は、すぐにゆったりした調子に戻って――

「樹齢百二十年で、一本の松が、この庭で老い朽ちたところです。しかし、世には不滅の木もある。あれをご覧なさい」

指さすかなたには、木立の奥に、巨大な濃緑色の蛸（たこ）といった感じの一本のヒマラヤ杉が、末広がりに地を這う形に枝々を広げている。

「枝が下りてきて、地面に着いたとたん、そこから根が生え、垂直にそそり立ち、新しい木に変わる。ロレーヌ州なら、当たり前の木ですよ……」

ドンレミ村の少女ジャンヌも眺め暮らしたであろうような木――。

いくらでも横に太い蠟燭を増やしていくシャンデリアのような、その暗い緑のマッスを、しばし私たちは視つめて立ちつくしていた。

第五章　光は日本より

マルロー夜の旅

ド・ゴール政権の終わった一九六九年からの三年間、日仏間にある玄妙な気の流れがあった。

フランスでは偉人は投票箱からは生まれない、といわれる。ナポレオンがそうだった。ド・ゴールがそうだった。ド・ゴールに指名されたマルローがそうだった。マルロー、立候補せずと、ド・ゴール政権誕生のときに朝日新聞は書いたものだったが、歴史と対話する英雄が選挙に出るはずがない。彼らを選ぶものは、投票ではなく、運命なのだ。ド・ゴール、マルローの両雄の去ったあと、ポンピドゥー、ジスカール、ミッテラン……と続いたが、それは、天才と威信の時代に代わって管理とポピュリスムの時代の到来を意味するにすぎなかった。

マルローが取り戻した「聖堂の白かった時」のパリの街の輝きは、至るところ、卑猥な落書きで穢され、それは十年の黄金時代の墨塗りのようにみえた。

一国の偉大な魂の喪失の表れであるかのように、その後の三年間、マルロー自身の人生は、空転と危機に陥った。ついには、久々に取った作家の筆をも横たえたまま、大病を発して、世間的には廃人とさえ見なされた。

しかし、まさにその間に、見えないところでマルローと日本の数奇な縁は深まりつつあったのである。そして究極的に彼はここから復活の光を見いだし、残された著述の完成をもって次文明への高貴な発見の伝達という使命を達成するに至る。

その祝着への予兆のように、日仏間に、一見、アト・ランダムに一連の出来事が起こり、それらは地下水のように浸透し合って一つの流れに溶け入ろうとしていた。

私自身、そうした事件の一つ一つと、何らかの因縁の糸のもつれの中にあったのだろうか。その糸を解きほぐすうえに、あれから半世紀を経て、ようやく十分な間合いを持つことができたように思う。

その作業に入るまえに、一つ確かな事実を指摘しうる。

当該諸事件はすべて、喪の色に染められていたということである。時系列的に示せば次のようであった。

一九六九年十二月二十六日　ルイーズ・ド・ヴィルモラン歿
一九七〇年十一月九日　ド・ゴール将軍歿
　　　　十一月二十五日　三島由紀夫自刃
一九七二年四月十六日　川端康成歿

九月二十一日　作家モンテルラン自殺
十月〜　マルロー大患、絶望視

こう云って大げさでなければ、この三年間はマルローにとって、聖書の語る義人ヨナの「鯨の腹中三年」の苦難のごとくであった。ヨナは鯨に呑みこまれ、三年にしてようやく吐き出されたときには、その腹中の猛熱のため髪の毛がぜんぶ抜け落ちていたという。マルローの場合は、死の淵から戻った体験から、聖書の死から甦ったラザロを想起して、この名を冠した回想を書くに至る。

それは、終の恋人ルイーズの死を前奏曲とし、ド・ゴールの死――「ヘラクレスの斧で倒される樫の巨木」――をもって幕を開け、日本からの三島自刃の衝撃波で頂点に達し、「盟友」川端のミステリアスな死で深められ、行動の作家モンテルランの拳銃自殺で揺さぶられて、ついにマルロー自身、不可解な眠り病に襲われて入院したあと、奇蹟的生還をとげるまでの、夜の旅であった。

その間、現実と歴史で織りなされる昼の世界は、もちろんマルローの前から完全消滅したわけではなかった。ド・ゴール研究所が設立されるとその名誉会長を引き受け――ピエール・ルフランを理事長としオリヴィエ君を代表として――、訪中を前にしたニクソン大統領に招かれてその指南番をつとめ、バングラデシュ独立戦争が起こるや、齢七十にして国際義勇軍を起こして参戦すると宣言して世人を感動せしめるなど、活躍の光はつねにこの人に照り添っていた。しかし、インド首相のガンジー夫人は「外人部隊」の助っ人を望まず、ガンジス川を目ざしてマルローの麾下に馳せ参じた老兵たちは、虚しくパリで足掻くほかはなかった。

行動家マルローにとって、何かが空転していた期間だった。当時、彼は、旧戦友にしてかつ魂の導師と仰ぐストラスブール大聖堂のピエール・ボッケル司教あてに、「高貴に死ねるようお導きください」と手紙をしたためている。武人として死にたい……。これは、日本では、三島由紀夫も同じだった。

三島、川端、モンテルランと日仏三人の作家の自死——川端はガス自殺と見なされていた——が続いたことから、皮肉なことに、次はマルローの番だと口さがない風評が流れていた。

「これじゃあ俺も自殺しないわけにいかないな」

と、夫子、蘇生の一巻『ラザロ』で苦笑を洩らしている。

こうした推移のすべてを私は注意深く見守っていた。

三島事件をめぐって日本の右傾化を恐れるフランスのメディア相手に、後に自ら名づけて「日本文化防衛戦」と呼ぶところの実践活動に乗り出したことから、自分自身のパリ生活も一変しようとしていた。かたわら、批評家としての名も出て、その方面でも多忙となったことから、博士論文はいまや完全に遠のいてしまった。やむなく、指導教官ジャン・グルニエに論文中止を申し出て、一生の悔いを残す結果となった。

中止するくらいなら、初めからやらなければよかったのである。中途挫折は、わが性格の最大の弱点、時には罪悪でさえあることを認めないわけにいかない。悪い性質を見抜いた師匠から、「他事にかまけるな」の訓戒さえ受けていたことを思えば、これはまさに破戒であった。

「他事」の誘惑は、ジャンヌ・ダルクの館へ足を踏み入れたことから一段と強まっていったように思われる。人間には霊性と歴史の二世界があり、その接線上に響く「火刑台上のジャンヌ」の声があると知った、あのときからである。

たしかに、凡俗には想像もつきがたい、目も眩むような高みで、陰陽を帯電した二つの雲の間に起こるような、不可思議きわまる放電現象が起こるのであろう。「天の声」を聞いたことからフランス王国の救済者となり、ために花のいのちを火刑台上で焼尽した一少女によって、地上の牢固たる合理世界全体が揺らいだ。見えない高い存在――聖霊と守護聖人——からの呼びかけに応じて彼女が白馬にまたがって歩みはじめた瞬間に、天界から、地上へと、紫電が走った……

十字架上のイエスにとってと同じく、火刑台上のジャンヌにとって最後に「声」が途絶えたからとて、それまでそれが語りかけてきたことまで無かったと云いうるだろうか。

新たなるこの問いを胸に、こうして私は、せっかく日本から難関のコンクールを突破して入ったアカデミズムの牙城を離れて、秘教的な「暗い神秘の森なか」へと入っていった。

それは奇しくも、マルローの「ヨナ腹中の三年」の時期にあたっていた。

三島由紀夫からの信号

あらゆる角度から見て、「三島事件」が、われわれの深層記憶に又とない「徴(しるし)」を刻み付けたことは間違いない。

われわれとは、西洋をも含む。

幸か不幸か、事件をパリで知ったことから、自分にとって、この徴は、故国の同胞が感じたであろう現場的肉付けの感覚を欠いていた。いまどき「切腹」ということは、初めてそれを聞いた瞬間、抽象的な……という以上に、遠い異星から伝わる難問のように感じた。そのように受けとるであろう、ここの国びとたちの当惑を反映して、である。しかし、そうであるだけにまた、徴を、自決した当人から暗号のように直前に送られてきた立場として、その真意を彼らに伝える役割を自分が背負わされていると自覚せずにいられなかった。

それは、私にとっては、二つの言語空間の中で受動と能動の心理的二役を、このさい、大胆不敵に演ずることを意味した。日本人であるとともに日本人でないかのように語る――主観と客観を織り交ぜたこのような語法は、それまでフランス語で評論を書く間に自ずと身について、いわば一つの特技のようになっていた。

三島由紀夫と私は出遭ったことがなかった。フィジカルには――。

しかし、ある意味で、ということは、魂の次元においては、実際に相会する以上に強力に電流がショートしていたともいえる。それは、本当のジェニーとはこういうものかと思い知らされた奇蹟的体験だった。

事情はこのようである。

一九六六年六月、ジャン・ジュネ作のスキャンダラスな戯曲、『屛風』が国立劇場オデオン座で上演され、国会で物議をかもしたことがあった。文化大臣マルローがこれに答弁すると聞いて私は元老院(セナ)に駆けつけた。野党の議員たちは、政府に対するこんな罵詈雑言をゆるしていいのか、劇場側に処罰として以後補助金をカットせよと舌鋒鋭く迫ったが、マルローは一歩も退かなかった。滔々と高度の文化論から反撃するその姿勢に私は深く感じたので、一文を草して日本の『藝術新潮』に送った。これが三島由紀夫の目に触れて激賞される成りゆきになろうとは、まさに夢にも思い及ばざるところだった……

と云いたいところだが、そう云っては嘘となる。

「ジュネ裁判」と題する原稿をパリの郵便局から日本に送るさいに、こう心ひそかに思ったからである——

《この拙文を分かってくれる人間は、日本広しといえども、三島由紀夫しかいないだろうな》と。

この大作家の、私はとりたてて熱心な読者というわけではなかったから、実際にそのように考える資格はなかったかもしれない。従って、そのように感じたのは、奇妙なことではあった。

ただし、文中、「不可知論」に触れたくだりで、ふと、三島由紀夫を思ったということはあった。右に述べた国会の場で、共産党の一議員がマルローに向かって「あなたは不可知論者(アグノスチック)だから」と揶揄した一幕があったからである。日本の政治家の間ではおよそ考えられないような思想的論戦(デバ)がそこから展開され、思わず私は傍聴席で身を乗り出した。周知のごとく不可知論(アグノスチシスム)とは、真理(神)の何たるかを知らずとする判断保留の立場である。しかし、神なしとする無神論の立場ではない。二十世紀知識人の特徴的傾向で、実際にマルローも三島も自分は不可知論者であると公言してはばからない点では共通であった。もっとも、これは、マルクス主義者にとっては許すべからざる宣戦布告と何ら異ならない。左翼の神格化する「進歩」をも信じないからである。

拙文は、こうした巨視観を背景としていた。

しかし、私自身の思考はそこで留まらなかった。ある人々――真の行動家――にとっては、問題は判断保留に終わらない、と見ていた。何物かへの信なくして偉大な行動はありうるだろうか――と。いっぽう、三島由紀夫も、「行動家の至福」なるものを夢みた人である。この点が期せずして重なったのではなかろうか。

雑誌が出てまもなく、日本から、「高橋睦郎」という差出人名で小包が届いた。二、三冊の著書に手紙が添えられている。自分の師匠とする三島さんから勧められて貴文を読み、「ほとんど戦慄を覚えました」という真摯な文面だった。

私はそのとき、この方が有名な詩人であることをさえ知らなかった。しばらくのち、同氏はパリまで私を訪ねてこられた。聞けば、三島さんは、竹本という人の文章は文学を志す人間にとって必読だと周囲の人々に薦めているとのことで、こう聞いて私は信じられない思いがすると同時に、心中、さては自分の直観がテレパシーのように届いたのかと思った。それにしても、げに恐るべき超感覚よと身震いした。

ジェニー、と云ったのは、そのことである。

高橋睦郎氏は、私と対面した結果、好意的な印象を師匠三島に伝えてくれたらしく、ここから、三島軍団ともいうべき人々が続々と日本から来訪する結果となった。澁澤龍彦、横尾忠則、金子國義、中村哲郎といった多士済々で、レニングラード街三十番地の茅屋(ぼうおく)はにわかに活気づいた。

それから四年後の春、七年ぶりに私はある二次的出版の仕事で一時帰国したことがあった。その折に、『金閣寺』の著者と会う唯一の機会があたえられたにもかかわらず、みすみすそれを逸してしまった。懇篤にも高橋睦郎氏は、土方巽や篠山紀信といった当代一流のアーチストたちにひとわたり私を紹介してくれたのちに、「残るは馬込の師匠だけです」と云ってくれたが、愚かにもこっちは「また次の機会に」と答えてそのままパリに帰ってしまったからである。

自分は相変わらず三島文学をそんなに読んではいなかったので、内心、少々びびって、いたということを告白しないわけにいかない。相会わずしてこれほどのコレスポンダンス——テレパシックな——が成り立った以上、そのほうがずっと大事なはずであったが、結局は、精神の未熟のなせるわざで、千載の悔いを残してしまった。

その年の十一月、盾の会隊長三島由紀夫は不帰の人となった。

「また」は、なかった——永久に。

「また」は、ないのだ——常に。

そう私の返事を高橋睦郎氏から聞いて三島さんは「そうかい、そうかい」とだけ応じたという。

しかし、何事をも、この人は忘れてはいなかった。死の決行の十六日まえに、突然、それまでに刊行された『豊饒の海』全三巻を献辞入りでパリまで送ってきてくださったからである。

その日がちょうどド・ゴール将軍の葬儀の日、一九七〇年十一月九日だったことを、私は永久に忘れないであろう。以後、日本で憂国忌が行われるたびに、ほぼ同時にフランスではド・ゴール忌が開催され、今日に及んでいる。

まさかこんな素晴らしい贈物が形見になるとも知らず、畢生の大作『豊饒の海』を読了してから礼状を書くつもりで、慎重に私は読み進めていた。ところが、第三巻の『暁の寺』でページを繰る手が、はたと動かなくなってしまった。輪廻転生のテーマはここで白熱している。タイのお姫さまが本多弁護士にすがりついて、妾(わらわ)は前世は日本人だったと泣く場面は、故知れず自分を揺り動かして、涙せしめた。ほかに感動的挿話は幾らでもあるのに、なぜであろう。

しかし、遅鈍な私は、こんどもまた間に合わせることができなかった。ついに、一片の感謝をも生前の著者その人に伝えることなくして終わってしまった。翌年六月、「パリ憂国忌」を主催したかげに、尽きせぬ魂の負債を負ったとの自覚がはたらいていたことは否定できない。

市ヶ谷台上の蹶起と自刃の報を聞いたとき、『豊饒の海』三冊を前に、思った。

これは、永別のしるしだし、形見などというものではない。死は死でない、われわれの常識とは別のものでありうるということの秘託ではなかろうか、と。

日仏「捨身」の姿勢

死を賭して憲法改正を訴えた、あの明確な檄文にもかかわらず、三島由紀夫の究極行為は、それをもさらに「越えた」意義を持つものであると、いまにして思う。

あれから半世紀近くが過ぎたというのに――三島の享年と同じ「歿後四十五年」記念コロキウムが一昨年（二〇一五年）東大駒場で盛大に行われた――依然として現行憲法の一行をも変えずにきた日本人の懶惰を見抜けなかったほど、三島精神は暗愚のはずはない。

世界を前にしてミシマは腹を切ったと、つねづね私が信ずるゆえんである。

パリでは事件直後に週刊誌『文芸フィガロ』が三島特集を組み、私も請われて一文を寄せたが、大判の表紙いっぱいに、『憂国』のスチール写真であろうか、七生報国の鉢巻を締め、剣を擬した三島の半裸像を深紅に染めて掲げたのは、さすがパリジャンらしき鮮烈なアピールだった。

以後、フランスから「ハラキリ」という文字は消えた。それまで『ハラキリ』と題するエロ・グロ・ナンセンスの雑誌がけばけばしくキオスクにぶらさがっていたものだったが、事件後、恥じたかのように姿を消した。わが発言も幾分か効を奏したのであろう

1 2

3

1. 1970年11月、ミシマ自刃にフランスは震撼。ただちに『文芸フィガロ』紙が組んだ特集号に著者38歳が寄稿(167頁)。
2 日本右傾化との声高まるなか、国営TVの論戦で、その死は大義のための捨身なりとして、イエスの磔刑を比喩としたことで共感を呼ぶ。
3. 翌1971年6月、「パリ憂国忌」を主宰。ベルリンでオペラ金閣寺を上演中の黛敏郎が駆けつけて参加(写真右端)。手前、右向きの人物が詩人エマニュエル・ローテン。

5

4

十六日朝御筆いたします
昨夜川端さんは自殺されました、
ただ驚いていますが、日本文化研究国際
会議は、川端さんの発意と熱望で開催す
ることになり、その準備に川端さんも骨を折
っておりましたし、特にアンドレ・マルロー氏
にはぜひ直接お会いして、お招きしたいと、いつ
も申しておりました。しかし三月はじめ、盲
腸を患われ、少し弱れてくるので、私に
代ってパリへ行ってマルローに会ってくれと
のことでした。しかし五月中旬ならば、パリ
の気候もいいので、ご自分で行けそうだとも
申していました。

川端さんの遺志に従って、国際会議は成功
させなければなりません、また、川端さ
んがどんなにマルロー氏を日本へ招きたい
希望であったかを、マルロー氏に直かにお
伝えして、お手伝い願うためにも、私がパリ
に行くことになります。五月中旬頃、竹
本さんはパリにご滞在でしょうか。そして、ア
ンドレ・マルロー氏もパリにおられましょうか、

芹沢光治良

6

4. 盟友川端康成を病院に見舞う来日中の文化相マルロー。のちに川端、日本の未来を憂えて、マルローに救国の大事を託すべく訪仏準備中に急死。
5. 芹沢光治良、川端の遺志を継ぎ、マルローを訪問。著者撮影。
6. 川端逝去の当日、著者に協力を依頼した芹沢光治良の手紙(182頁)。

か。「畏敬をもってするなら、セップクと云え」と、機会あるごとに云いつづけたからである。ここらあたりが、何*があろうと、文化的にはフランスは日本と対話しうる国と珍重するゆえんである。北朝鮮をめぐって、その後、政治的に対話々々とやかましく云われるようになったが、プラトン以来、人間精神の最高度の交流手段とされる「対話」が、そうそうたやすく独裁国家相手に成立するはずがない。互いに霊性文化上の深い基盤なくしては到底不可能のことである。

＊その後、一九八〇年代から、明らかに中国の反日プロパガンダの影響から、フランスの左傾反日思想が強まっていった。本手記の最終巻で触れることとなろう。

ここまでは、しかし、拙著『パリ憂国忌』である程度まで語り伝えたところである。その後、深層の次元でさらに彼我の間にどう波紋の交叉があったかを一考してみたい。

前記のごとく、三島の死は、ド・ゴールの死とほとんど同時に起こった。フランスにおいて、その双方に心底から震撼せしめられた人物としては、マルローをもってまず指を屈する。ド・ゴールについては彼は、ただちに筆をとって、『倒された樫の木』を書き下ろした。が、「ミシマ」についてどう感じたかは、その時点では私には知るよしもなかった。特に際立った発言はなかったし、第一、マルロー自身が死に場所を求めている最中だったからである。

バングラデシュ独立戦争に参加しようとして国際義勇軍を興したものの、外力の援けを好まないインド政府（ガンジー夫人首相）によってパリで足止めを喰らい、虚しくマルローの人生そのものが空転しているさなかにあった。ルイーズの死で最後の愛の星は消えた。ド・ゴールの死で騎士道の灯も消えた。三島の死に彼は何を見ただろうか。

若き日に、初めて神戸で日本の土を踏むや、「ブシドー」を礼讃して記者団を驚かせたマルローのこと、無感動でいるはずがない。しかし、自ら「ノーブルに死ぬ」死に場所を求めつつある騎士に、切腹論を聞きに行くような愚を冒すつもりはなかった。私は、じりじりしていた。

実際には、マルローは、三島事件に接するや、これまた、ただちに筆を取り、日本論の一章を書き下ろしていたのであったが。

それは、事件から十四ヶ月後、一九七二年の正月に、『反回想録』の新版（フォリオ版）への挿入という形をとって公表された。同書の翻訳を進めつつあった私は、その校正刷を著者その人から送られてきて読み、驚喜した。新潮社からの『反回想録』の邦訳出版はマルローの歿後となったが、「日本の挑戦」と題してこのチャプターを加えたことは却って有難い天の配剤であった。

そこでマルローが何を語ったかは改めて繰りかえすまでもあるまい。注意深く彼は、むしろ、ミシマの名を挙げないように注意している。空想の舞台を竜安寺の石庭にしつらえ、息子を特攻で失った一人物との対話という設定によって、「永遠の日本」――と初めて云われる――への讃辞を呈するという形をとって。

特記すべきは、この章で初めて「ジャンヌ・ダルク」の名が出てくることである。周知のごとく『反回想録』は非常な大冊で、私は、その訳業に没頭するのあまり、本来の渡欧目的である博士論文を書きそこねてしまったほどだった。感心した話ではない。物狂いとしか云いようがない。波瀾万丈の、オデュッセウス的世界遍歴の騎士マルローが、日本について、武士道と切腹について語るときにのみ「オルレアンの乙女」に言及していることの意義を、どうしても祖国に伝えねばとの思いに取り憑かれていた。

両者をむすぶキーワードは、「捨身」、これである。

「切腹は自殺にあらず……、それは祖廟を前にした献身である……」

日本の武士の、そのような幻影に、マルローは、十字軍の騎士たちの「石の仰臥像(ジザン)」がすっくと身を起こす幻影を重ねている。そしていうのだ。

「彫像の青い炎(切腹のアレゴリー)こそは、永遠に不滅なる日本を象徴してやまないものであった……」

このような文章に行き着くということは、翻訳者冥利につきる。この一行だけでも日本に伝えることは、ソルボンヌで学位をとること以上に急務と感じられた。狂気とも取られよう。が、死せる三島が生けるマルローにこのように奔らしめたのだと知る人間は、世界中で自分ひとりである以上、その伝達の使命を放棄することは不可能であった。

他方、日本からの、死を前にした三島自身からの秘託――そう私は受けとっていた――の意味も、ずしりと重みを増していた。

日仏二人の不出世のジェニーの魂が、そのときたまたまパリにあった自分ごとき小人の肩に懸かっている。仇やおろそかにしてはならないと思った。

それにしても、なぜマルローにとって「日本的死」はそれほど切実な問題でありえたのか。いや、その以前に、マルロー文学を一世に高からしめた「死の意識」とは、なにゆえそれほどにまでに深刻でありえたのか――そのそもそもの理由が、それまで本当に自分には摑めたというわけではなかった。

いや、どんな批評家の目にも、その時点においてはまだ十分に明かというわけではなかった。なぜなら、マルロー自身、まだその真相を明かしてはいなかったからである。

そもそもマルロー文学を二十世紀の一頂点に押しあげた本質とは、「人間」の理念を、内的秘密の堆積としての「自我」とは別の何物かたらしめたという一点にあった。人間とは、内的秘密以上の何物かである。行動が己を越えさせる。「行動の文学」は一世を風靡した。しかし、また、秘密を蔵するものもまた人間であるとの想念をマルローがまったく放棄したわけではなかった。殊に、死と向きあった人間においては、如何に、との問いが秘せられていたのである。

祖父も自殺し、父も自殺した血をひく一個の男子においては、他と違う隠されたファクターがあって当然である。このことをマルローは、このときまで十分に記述したわけではなかった。

これを語るには、しかし、ヨナ神話的「鯨の腹中三年」の業苦の洗礼を経なければならなかった。『反回想録』に日本の章を書き入れた一九七二年正月から、再起不能と見なされた奇病のため入院するまでの十ヶ月間が、この業苦の通過の総仕上げの期間となった。

それは、同時に、「盟友カワバタ」の遺志によって、ということは日本との契りによって起死回生を得るまでの準備期間でもあったのである。

「死を選ぶことのできる文明」

川端康成の死が、世間に伝えられたように「自殺」ではない、それを証するものはマルローであると云ったら、どうであろうか。

一九七二年四月十六日、「川端のガス自殺」は、またも文芸の都パリを賑わした。ノーベル文学賞作家ということに加えて、誰もが一年半前の「三島のセップク」を想起せずにいなかった。両作家の親しい間柄が頻りに報じられ、これは老作家のシンパシーによる後追い自殺だなどとまことしやかに説く者さえあって、改めて日本文化の一形態としての自死が哲学的命題として論じられたりした。ガリマールから出版されたモーリス・パンゲ——わが渡仏留学試験の審査委員長——の労作、『自死の日本史』は、明瞭にその痕跡を留めている。

ともあれ、「ガス自殺」は動かぬ事実として報じられ、誰もそれを疑う者はなかった。

そもそも『雪国』は、西洋のロマンとは違った意味でフランスで愛読されてきた。著名な批評家、マルセル・ブリオンが「白の上の白」と評したような日本的透明性は、西洋的視点からすれば、元来、むしろ反文学的とさえ云っていいほどのものである。これは絵画においても同様で、洋画はキャンヴァスを塗りつぶさねばならない。「余白」は存在しない。「白いキャンヴァスを白いまま残すことはできないだろうか」は、ヴァン・ゴッホがそれを問いとして投げかけるまでは誰も問題にしなかった。

『雪国』が西洋においても「名作」となるためには、陰で紹介者たちの涙ぐましい努力が必要だったことが顧みられる。同書の仏訳者は、パリ極東語学校教授の藤森文吉である。同氏は、私ども在留邦人の間では「通訳の神さま」として恐れられていた。絶対にミスしないと、日本大使館ではお墨付きだった。同時通訳で、話者が話し終わるのと同時に訳し終わらなければ良しとしないほどの、名人肌の人だった。私もスペインのマヨリカ島で一緒に国際会議の同時通訳をしたことがあるが、とても足下にも寄れなかった。そんな語学の達人が、あるとき、私にこう云って嘆いたのだ。

「いやはや、『雪国』では、こりごりしましたよ。《哀しいほど美しい》という表現が何度も繰りかえされるので、フランス語のレトリックには合わなくて……。それなのに、さんざんに云われまして……。もう二度と翻訳はやりません」

美しさと哀しみと——これは、川端文学の精髄にほかならない。なるほど、ここに封じ手をかけられてはどうにもなるまい。

ところで、ノーベル文学賞は、本来ならば先に三島由紀夫が貰ってもおかしくないところだった。日本ペンクラブにユネスコからロジェ・カイヨワが派遣されてきて、「日本にも授賞候補がいる、たとえばユキオ・ミシマ……」と云って評判となったのは、つとに一九六〇年頃のことだった。そのとき、私自身がペンクラブの定例会で通訳したのだから間違いない。その順位が、いつのまにひっくりかえったのであろうか。

マルローの推輓も大きかったのでは、と推測される。

彼の川端びいきは、尋常一様ではなかった。

「人間的稟性（ひんせい）の典型」とまで誉めちぎっている。

一九五七年、パリで両者相会したときの初印象である。ペンクラブ会長として訪仏した川端をマルローに引き合わせたのは、同行した小松清だった。そのさい、かの「重盛像」を川端が高く評価したことでマルローは驚喜している。翌年、ド・ゴール特使マルローが、寸暇をさいて入院中の川端のもとに駆けつけたことは、新聞に掲げられた二人の友情あふれる写真とともに深く私の胸に焼きついて残っていた。

それほどの間柄と知るだけに、「盟友（アミ）カワバタ」の死はマルローの胸にどう響いたかと案じられた。それに先立つ三島の切腹に対する見かたも知りたかった。そこで、川端の訃報から二週間たつや、心急（こころせ）くままに面会を願い出て、ヴェリエールの館へと向かった。はたせるかな、このときの対話――「第二の対話」――は、かけがえなき貴重な内容となった。

三島と川端と、二人の最期を比べてマルローが「自分ならばガス管よりも日本刀を選ぶ」と云ったのは、これは大体において予期したとおりだった。「武士の切腹は自殺にあらず、むしろ死への制覇である」と云ったのも、持論としてかねて耳にしてきたとおりである。それにしても、三島自刃にいかに深くマルローが感じたかは、想像に余るものがあった。「ある流儀（切腹をさす）によって死を課した国は、日本だけだ。しかし、なぜある流儀なのか？」と自問したあとで、突然、こう云った言葉に私は大衝撃を受けた。

あゝ、それにしても、死というもののまったく存在しないような一文明に出遭ったとしても、どんなにか当然なことであろう――誰もが幼時から自決の瞬間を選ぶべきであると知っているような文明に！

はたして、「当然」（ナチュラル）であろうか。

常人にとっては、むしろ、奇想というべきでは？

死を選ぶ。自死というよりも、選死。それも出生時から、その時をさだめた文明があったとしても不思議はない——こう云っているのである。

あれから四十五年たったいまなお、凡愚の頭ではまだ随いていけないものを感じている。次文明への予見であろうか。

謎をはらんだまま、そのときの私のマルローとの対話は広く伝わっていった。きっかけは、オリヴィエ君が主幹をつとめるド・ゴール研究所の機関誌『アペル』に、「日本における死」と題してその抜粋が掲載されたことにあった。掲載にあたってマルロー自身がテキストを推敲したことから、権威が付加された。「三島由紀夫の切腹が課した日本的死の問題への最初のアプローチ」とのリードを付して公開されるや、ル・モンド誌が取りあげ、影響が出た。最大の収穫は、バレエ界の巨匠、モーリス・ベジャールの関心を呼んだことだった。のちにシャトレ劇場で初演された創作バレエ、『マルローの変貌』のプログラム冒頭に、ベジャールはこの対話の全文を掲げた。これを知って私がスイスのローザンヌ・バレエ団に駆けつけ、あなたは『豊饒の海』の輪廻転生を主題として製作すべきですと説いて、ここから『M』——ベジャールによれば「ミシマもマルローもモーリスもマユズミも、すべてM」——が製作されるに至ったのは、後の話である。

ちなみに、ベジャールは、「日本的死」は単に死にあらずと見抜いた達識の士である。ではそれは何かといえば、おそらくわれわれ日本人自身にもまだよく摑めていないのではなかろうか。

つまり、死に対する日本人の関係は、西洋人とのそれと同じではないということが、まだ十分に分かっていない。私との「第二の対話」の冒頭でマルローは、三島、川端の名を挙げるまえに、こう云っている。

「相当数の日本の大作家が自害してきている。これらの人々をさして自殺したというのは、とんでもない。自殺という言葉は絶対に彼らには当てはまらない」と。

先にも引用したと思うが、つとに一九三三年にマルローは、『人間の條件』の中で、蒲画伯という登場人物の口をとおして、このような決定的一言を残しているのである。「人間は、死とも通じることができる。至難のわざだが、おそらくそれが生の意義というものであろう」と。

日本人にそう云わせているので、他の何国人にでもないのだ。

思うに、日本との契りが、この「死とも通じる生」によってマルローを救ったということはないであろうか。

「第二の対話」の行われた一九七二年五月三日という時点から見ると、その二週間前には川端が死し、一年半前には三島が歿していた。五ヶ月前には、マルロー自身が死に瀕していた。私のヴェリエール再訪はそうした大いなる死の谷間の中で行われたのだが、しかし、その間に、何物かが、目に見えずマルローを死から生へと救う方向にはたらいていたとも思える。おそらく、それは、日本から吹いた風であった。

「私は、自分が自殺するとしたら、ガス管では死なないね」

暗に川端をさしてマルローは私にそう云ったが、実際は、おそらく川端は自殺していなかったのだ。

人智をこえる高い意思がはたらくとき、その時点では、人にはそれは見えないものである。そのような個をこえる何事か巨大なうねりが、あの時期、日仏両国の間を貫流していたとしか思えない。自分ごときも、その手駒の一つとして動かされていたのであろうか。三島からの信号についで、こんどは、死せる川端の意思が、パリのレニングラード街三十番地の茅屋に伝えられようとしていた。

一通の手紙がすべてを変えた。

川端康成の悲願

それは『人間の運命』の作家、芹沢光治良からの手紙で、のちに甚だ重要な意味を持つこととなる内容のものだった。東京都中野区の自宅から発せられ、（一九七二年）四月十五日、続いて十六日と二つの日付が刻されているが、この日付そのものに驚愕すべき出来事の秘密が隠されていたからである。文面は次のように丁重な物言いで始まっている。


突然お手紙する欠礼をおゆるしください。

私の記憶がまちがいでなければ、竹本さんがパリにお出発前——それも十年も前に、お会いしたことがあるような気がします。その後、時々思い出しておりまして、特に日本の雑誌に、お名前を見るようになってから、竹本さんにかつて、フランス新聞の切抜きを（巴里に死すやサムライの末裔の書評）お目にかけたことがあったが、この竹本さんがあの竹本さんであろうかと、しばしば思いました。万一お人違いでありましたら、おゆるしください。

私が本日お頼み申し上げるのは、あの時の竹本さんでなくても、お願いすることですが、あの時の竹本さんならば、有難いが……と思う次第です。

大作家からこのように辞を尽くした挨拶をされ、面食らったが、その願いというのを聞いてほぼ納得がいった。

　実は日本ペンクラブが本年の十一月十三日から一週間京都で、日本文化研究者国際大会を開きますについて、世界中の日本語学者や日本文化研究者を三百名ばかり招待することにしてります。フランスからも二十名以上の方を招待する予定でありますが、実はその大会に、アンドレ・マルローとロヂェ・カイオワ両氏をゲスト・オフ・オーナアとしてお招きしたいと考えております。それについて、川端康成氏(前会長)か私かが、この五月にパリに参って、直接お目にかかって、お二人にお出掛けを願うことにしております。

　その際に、竹本さんにご案内いただいて、通訳をお願いできませんでしょうか。五月に、竹本さんはパリにおられますでしょうか。御面倒なことですが、お引受けをいただきたいと存じます。

このマルローの招待について、実に言外の含みがあったのだが、その時点では到底推測のつかないことであった。

文面は、そのあと、光治良の近況紹介に移り、十年がかりの大河小説『人間の運命』全十五巻を今年完成して文部大臣賞と芸術院賞を受けたこと、今日では芸術院会員とペンクラブ会長をつとめていることなどを告げたあとで、「よいご返事をお待ちして　芹沢光治良」と結ばれていたが、手紙はそこで終わらず、航空便用の薄い便箋の三枚目を繰ると、驚くべき事がそこに付記されていたのである。文字も乱れ、動揺がありありと見とれる。

十六日朝補筆いたします。

昨夜川端さんは自殺されました。

ただ驚いていますが、日本文化研究国際会議は、川端さんの発意と懇願で開催することとなり、その準備に川端さんも骨を折っておりましたし、特にアンドレ・マルロー氏には直接お会いして、お招きしたいと、いつも申しておりました。しかし三月はじめ、盲腸を患われて、少し疲れているので、私に代わってパリへ行って、マルローに会ってくれとのことでした。しかし五月中旬ならば、パリの気候もいいので、ご自分が行けそうだとも申していました。
川端さんの遺志に従って、国際会議は成功させなければなりませんし、また、川端さんがどんなにマルロー氏を招きたい希望であったかを、マルロー氏に確かにお伝えして、お出席願うために、私がパリに行くことになります。五月中旬頃、竹本さんはパリにご滞在でしょうか。そしてマルロー氏もパリにおられましょうか。

芹沢光治良

いま、こうして読みかえしてみても、何か切々たる気迫が伝わってくる。「川端さんがどんなにマルロー氏を招きたい希望であったか」——それは、単なる国際会議への特別招待のためだけではなかったのである。

川端康成とマルローは格別の親密な間柄であることを私は知っていたから、すぐさまヴェリエールの館に電話した。折り返し、五月十七日にお待ちすると返事があった。
当日午後、パリのホテルに出迎えると、遠来の作家は、美しい銀髪がよく似合う渋い色調の背広姿でロビーに現れた。「マルローさんと会うときに着ていくようにと、今日のために妻が仕立ててくれた服です」と嬉しそうである。そして手にした『週刊サンケイ』を渡してくれた。

そこには「マルロー独占会見記」と銘打たれた三回連載の拙文の「第一弾」が載っていた。ニクソン大統領の訪中──「日本の頭ごし外交」──で日本の世論は沸騰している真っ最中だった。祖国の孤立化を恐れてヴェリエールに飛んでいき、質問した私に、マルローは、「とんでもない、日本は孤立どころか、核提供を申し出ている米ソという二人のフィアンセから抱きつかれているようなもの」と答えたのだが、この言葉が麗々しく大見出しで紙面に踊っていた。フランスの核実験放棄を繰りかえし非難してきた日本ペンクラブの会長、芹沢光治良としては、さぞ面食らったことであろう。しかし、そんな素振りはおくびにも出さずに、「名文ですね」と云いながら雑誌をこちらに手渡すと、「ちょうど羽田空港を出るときにこれを見つけたのも、ご縁ですね」と云った。

「このまえ、最後に東京で先生にお目にかかったのは」と私は一礼して云った。「『巴里に死す』でパリ市民賞をお受けになった祝賀会のときでしたね。キャピタン館長の主宰で、藤原義江や砂原美智子さんのようなオペラ歌手も見えて華やかでした」

「キャピタンさんは、その後、どうなりましたか。ド・ゴール麾下の重鎮が日本で日仏会館の館長などされて、ずいぶん損をなさったんですってねえ」

ド・ゴール特使マルローの大演説の光景が甦ってくる。切断されたマイクのコード。

小雪の中を、涙ながらに「デンスケ」を抱えて走った濠割。若輩にとって未来は、あの夜のように暗かった。それが、いまではこうして、日本の高みにつうずる光をつたえる使者の先導役を果たそうとしている……

一瞬の想い出に胸をつまらせて私は答えた。

「キャピタンさんは、大勢(たいせい)がド・ゴールから離れていく五月革命のあとまで、ひとり、法務大臣として踏み止まって戦いつづけ、ご立派でした」

ヴェリエール訪問は午後四時に設定されている。出発までまだ少々時間がある。ひとわたり前置きが済むと芹沢光治良は、語調を改めて口を開いた。

「実は、川端さんが、どうしてもパリに出向いて、じきじきにマルローさんにお会いしたがったことには、格別の理由があったのです。それは、川端さんは、日本の将来を非常に憂えておられまして、日本がちゃんとした国になるには、次の天皇になる方にしっかりしていただかなくてはならない。そのためには、どなたかに立派な帝王学を授けていただく必要がある。それには、天下広しといえども、アンドレ・マルロー氏を措いて他にはないと、こう云っておられました……」

そうだったのかと、私は胸を衝かれた。異常なほど熱の篭もった手紙の謎がいっぺんに解けた思いだった。それにしても何という信頼の篤さであろう。

川端康成とアンドレ・マルローと、両偉人の出遭いは一九五七年（昭和三十二年）に遡る。十五年も前のことだった。ペンクラブ会長川端は、「東西文学と相互影響」のテーマで国際会議を準備するために渡仏し、同行した小松清の紹介で初めてマルローを訪ねた。両者意気投合し、マルローの川端への心酔の並々ならぬことは前述の通りだが、しかし、いっぽうの川端がマルローに寄せる心情の如何なるかについては、私には十分に察しがつかなかった。それが今回のことですっきりした。日本の未来を託する――これ以上の信頼はない。

両者の初会が行われた「一九五七年」という年代に注目させられる。その年の夏、皇太子明仁親王と正田美智子嬢の「テニスコート」の出遭いが起こったからだ。川端康成の悲願が実ってマルローの御進講をお受けになり、のちに歴史に残るような堂々たる天皇皇后両陛下になられたことを考えると、まことに感慨に耐えない。

「川端さんは」と芹沢光治良は続けた。「周囲の人たちにこうも洩らしていました。マルローの言葉は深遠で、なかなか理解しがたい。しかし、幸い、パリには或る若い専門家がいるそうだから安心だ、と。竹本さん、あなたのことですよ」

そして微笑して、付け加えた。

「世の中は三日見ぬまに桜かなと云いますが、それにしてもあなたは立派になられましたね」

『雪国』の著者のマルロー訪問の真意を知って私は黙々と考えていたが、はっと気づいて、こう口走った。

「先生はお手紙の中で川端さんの懇願とお書きになっていらっしゃいましたが、それほどの熱意だったとすれば、むしろ、悲願というほどのものですね。しかし、そうすると、自殺ということはありえませんね」

「えゝ、ありえません」

鋭い洞察力を柔和な微笑で覆うかのように、目元をゆるめ、高齢にもかかわらず――つい二週間ほどまえに七十六歳を迎えられたばかりだった――両頬をぽっと赤子のように染めて、老作家はこちらの問いを察して答えた。

「川端さんといちばん近かったのは僕でしょう。僕には何一つ隠さずに打ち明けてくださる間柄でしたから推察できるのですが、あれは自殺ではなく、不慮の死だったとみて間違いありません」

「たしかに、御進講をマルローに委嘱しに自らパリまで出向いてくると仰っていたんでしょう。天下の大事を前に自殺されるはずがありませんものね」

「そのとおりです」と光治良は応じて、手にしたエスプレッソの小カップを宙に浮かせたまま話を区切った。「その推理は、追い追いお話しするとしましょう。私としては、川端さんのご遺志を果たすべく、こうして急いでパリにやってくる必要があったのです。今年の十一月に京都で開く日本ペンクラブ主催の国際日本学会議の機会に、マルローさんから皇太子殿下と美智子妃殿下に御進講をお願いしたいわけですから」

「十一月といえば、あと六ヶ月しかありませんね」

「ですから、これは、どうあっても、本日は、マルローさんに来日をお受け願わなくてはならないわけです」

委細は分かった。

マルローも大任に感ずるであろう。

しかし、そのときには、ペンクラブの大会直前にマルローが病臥することも、ペンクラブ内部のある抵抗勢力によって彼の訪日そのものが阻止されるであろうことも、われわれは知るよしもなかった。

話の続きはタクシーに乗ってから始まった。

「川端さんは、最後のころは意識がずいぶんおかしくなっておられまして……」

淡々と芹沢光治良は語る。

「今度の国際会議のために、寄付金あつめで一緒にあちこち回ったのですが、訪問先の会社がお金をお出ししますというと、急に川端さんは、いや、出さなくたっていいんですと云いだしたりするのです。まるで禅問答みたいで、先方はどう受けとっていいか分からず、どぎまぎするというふうでした……」

車はセーヌを渡り、南へと向かう。

と、話者は、思いがけないことを云い出した。

「川端さんは、ご自分を、ならず者だと呼んでいました。僕は三つの触媒——三悪と名づけていましたがね——がなければ生きていけないというのです。少女の肉体と、モルヒネと、熱い湯だ、と……」

「少女」以外は初めて聞く秘密である。だが、熱い湯がどうして「悪」なのだろう。

オルレアン門からパリ市の外に出た。マルロー邸は、オルレアンに向かうオルレアン街道に位置していましてと、私は説明した。ヴィルモラン家はジャンヌ・ダルクの血筋の正当な末裔にあたっているのです、と。そう聞いて光治良は、別段驚く様子もみせなかったので、ややこちらは拍子抜けした。どうやら自分の語っている事柄のほうによほど気を取られているらしい。

車は、郊外の見栄えのしない町並みの中を一直線に走っていく。通いなれた道だが、今日は役割のせいか変わってみえる。

「ところで」と、話者は、運転手に日本語は分かるはずはないのに声をひそめた。「川端さんは、逗子のマンション——仕事場といわれていましたが——に、ある若い娘を住まわせていたのです。たいそう官能的な少女で、『眠れる美女』はその少女がモデルだったとのことです……」

三島由紀夫も激賞したこの小説は、一九六〇年に文芸誌『新潮』に載り、その年のうちに単行出版されている。私も留学前に読んでいた。しかし、ということは……

なぜか、ぴんとくるものがあった。そこで尋ねた。

「どんな名前の娘だったんでしょう」

「ロ、リ、ー、タ、というのです。銀座のラモールにいた子だとか……」

なんという驚きであろう。私が付けた源氏名ではないか。

高見順や丸岡明、巌谷大四といったペンクラブの粋人たちに連れられて初めて入ったあのキャバレーで、並み居るホステスの中でひときわ目を引く彼女の魅力に私は目を奪われたものだった。光治良は官能的と云ったが、清純と官能美の混淆、と云い替えねばなるまい。まさに川端好みだ。その後、山の上ホテルで行われた私の渡仏歓送会に、「最後の文士」高見さんは、ラモールの綺麗どころを賑々しく連れ出してきてくれる粋なはからいをしてくれた。その中に「ロリータ」を見いだして、わが胸は妖しく騒いだ。ラモールで初めて見たときに、即座にそのように渾名したのだったが、すぐにこの名は広がっていったらしい。ある日、そこを訪れた『雪国』の著者にまで――。

それにしても、さすがに川端さん、目が高い……

ロリータなら知っていますよと、よほど喉元まで出かかったが、ぐっとこらえた。いまは話の脱線をするときではない。さいわい、右側に坐った作家は、こっちの動揺した様子にいっこう気づく気配もなく、言葉を続けた。

「川端さんは、そこの家で亡くなったんです。ガス自殺と世間では云われていますが、自殺をするはずがありません。こうしてパリに来ることになっていたんですからね。原因は、あの三悪にあると私は見ています。つまり、こうですよ。飽くまでもこれは推理ですがね。モルヒネを打って、次は熱い風呂というので、ガス栓をひねって火を付けようとした。ところが、中毒症状が嵩じておられましたから、そこで意識が混濁してしまって、点火するまえに倒れてしまった、と……」

第一の悪、「少女」は、そのとき、どうしていたのだろう。

そのことは聞きそびれた。が、こう尋ねた。

「ロリータはどうなりましたか」

返事は実に意外なものだった。

「彼女は、川端さんに、誓紙を入れさせていました。妻と別れてあなたと結婚します、という——。これを持ってロリータは、どこやらに現れ、高額で買い取らせたのです

……」

蔭に操る男がいたんでしょうねと重ねて訊くと、それかあらぬか、その後、彼女はアメリカに渡り、以後、杳として行方がわからなくなったとのことであった。

お富さんを操った与三郎役が、どこかにいたということか……。

まさに、ナボコフの原作をうわまわる奔放さで、舌を巻いた。あの最初の夜、ラモールで感じた、船子（ふなこ）を難破させる蠱惑のセイレンとのイメージは、まさに的中したというべきか……

ミステリー・ノベルを聞く思いだった。犯罪の匂いさえないとは云いきれない。

それにしても、天下の大任を果たしつつある使者が、その途上で、大任を秘託した故人の最も隠微な秘密を語り、その秘密の元を私も知っていたとは……

因縁の不思議を思わずにいられなかった。

そういえば、のちに私は臼井吉見の『事故のてんまつ』という本を読んでみたが、川端の死の謎に迫るという触れこみながら、まったく見当違いの俗説で失望した。だいいち、ロリータの影も出てこない。

ノーベル文学賞作家の死因については、あらゆる憶測が飛びかい、いまや、インターネットがそれをリストアップして見せてくれる。「ガス管をくわえて自殺した」という古典的見解――これがフランスでも流布した――から、孤独説、失恋説に至るまで、多種多様の。稀に「偶然説」もあるが。作家が孤独で自殺するとは何事か、失望したという声まで挙がっている。

私見についていえば、そもそも自分はマルロー思想の信奉者として、「人はその隠すところのものではない。行うところのものである」と信ずる者であるから、実際には文豪の死にどんな秘密が隠されていようと、それ自体には興味がなかった。それにしても、自殺説は全くの誤りであり、それを証するものは憂国の真情からの渡仏の準備であったことを世間が知ったならば、今後、評伝は変わるのではないか、またその必要があろうと考える。

加えて、芹沢光治良は、遺志を継いで、川端の歿後二週間でフランスまで飛来した。

同様に、二十日後にはペンクラブ会長として葬儀委員長をつとめるという慌しさのなかで、マルローに会って盟友の遺志を果たすべく飛来した芹沢光治良の行為も、仁徳として尊いのではないか。


千里を旅して君命を辱めず——

生ける孔明、死せる仲達を走らす——

そんな故事が頭をかすめる。

士は、死すとも、本懐が遂げられれば生きる。その本懐を、懐剣のごとくに抱いて使者は、いまここ、オルレアン街道を走っているのだ。


車は、その街道と平行する村道に入った。

向こうに黒々とヴェリエールの森が見えてきた。

そう告げると、使者は頷き、初めて窓外に目を転じた。

どれほどの緊張にあるのか、そのときには、その静かな姿からは想像がつかなかった。

ヴェリエールへの使者、芹沢光治良

ヴェリエールの館に着いて玄関のベルを押したが、誰も出てこない。四，五分がずいぶん長く感じられた。だんだん不安になってくる。使者は車寄せのタクシーの中に待たせたままだ。そこで、いったん引き返して、車内を見て、はっとした。芹沢光治良は、身じろぎもせず、瞑目しているのだった。

ふかぶかと体をクッションにあずけ、首を反らせ気味に、その顔は祈っているかのように静謐だった。何が起ころうと使命を果たさずにはおかじという気迫さえ伝わってきて、私は自分のわずかばかりの心の動揺が恥ずかしかった。

しかし、よく見ると、玄関の古びた木の扉は少しばかり開いている。その様子は、文字どおり「木戸ご免」の自分に呼びかけているようにみえた。そこで使者と連れだって、扉を押し、玄関に入った。「サロン・ブルー」の入口に二人で立ったところへ、ちょうどマルローがソフィーを連れて左手から現れた。

午後の斜光に青々と照らされたヒマラヤ杉のスロープが、左側の窓の向こうにゆるやかな弧線を描いている。正面には、やや首をかしげた、見事なガンダーラの仏陀半跏像が、背後から照明されて空中に浮き上がってみえる。その前に立って、私は正式に使者を紹介した。

着座するや、すぐにマルローは云った。

「私は、川端に、大いにアフェクション（情愛）を抱いていました……」

クールトワジー（世辞）でこういうことを云う人ではない。

芹沢光治良は喜ばしげに銀髪をふるわせ、頬を染めて口上を述べた。

「皇太子殿下への御進講をマルロー先生にお願いしたいという故川端康成の切なる遺志をお伝えするために、日本から参上いたしました」

万里の道を遠しとせずとのまことは、きっとマルローの心を打つであろうと、訳しながら私は熱いものを胸に感じていた。

話にはまだ続きがあると察してマルローは、じっと相手の口元を視つめている。果たせるかな、光治良は
「ただし……」

と言葉を続けた。

「皇室には、直接に招待をお出しするという習慣がありませんので、講師の方が来日される機会をとらえて御講義をお願いすることとなります。つきましては、来たる十一月に、私が会長をつとめます日本ペンクラブが初めての国際日本学会議を京都で開催い

たしますので、ぜひそこでマルローさんに記念講演をお引き受けいただき、その折に御進講をお願いするという手だてを取らせていただきたいのですが……」

マルローは即座にこう答えた。

「招待者側がペンクラブであろうとどこであろうと、かまいません。皇太子殿下がお望みとあらば私は参ります。殿下がお望みでなければ参りません」

実に凛たる返事だった。

こういうダメ押しの表現法があるのだなと、のちのちまで私は思い出しては感嘆を新たにしたものである。はっきりと筋を通し、勘所をとらえている。川端の遺志、けっこう。が、受講者がそれを望むのでなければ意味がない。

こう聞いて芹沢光治良は深く頷いた。

九重の奥のことは、直接にはみだりに口にしえない。阿吽の呼吸のごときものであると、ずっとのちに私自身、パリで美智子さまの御歌の仏訳出版にたずさわりながら骨身に染みて味わったことであった。

マルローは、一つだけ質問した。

「この件は、ポンピドゥーに知らせてもいいのですね」

「もちろんです」

ポンピドゥー大統領全盛の時代だった。

政界を退いたとはいえ、マルローは、殁後、レモン・バール首相が追悼演説で述べたように「フランスの栄光の一部」であり、国家要人たることに変わりはない。日本の次の天皇たる方の師表となる――このことが単なる私事であるはずがない。はたせるかな、ポンピドゥー大統領は、二年後、いよいよマルロー訪日の折に、「特任駐日大使」の資格をもって送り出すこととなる。

会見は、四十分ほどで終わった。

文学談義、いっさいなし。

『巴里に死す』、『サムライの末裔』も、話題に出ることはなかった。

大義を前に、ロマンは消える――のであろうか。

それは、二年後、ついに御進講が実現して、侍講マルローが東宮の前に侍ったときも同様だった。『人間の条件』も『空想美術館』も、いっさい口にされることはないであろう。通訳をつとめた私にとって、ちょっぴり残念でないことはなかったが。

ヴェリエールでも、もう少し両作家の間を取り持って、会話が弾むように持っていくべきだったかもしれない。

しかし、本命は達せられた。

マルローの「ウイ」とともに、はるかな高みで日本とフランスの空が溶け合い、川端康成が汚辱を払って、オーラをもって甦った瞬間だった。

そうそう、例の「川端事故死説」について、会談のあと、ちょっぴり私はマルローに仄めかしてみたが、案の定、「行動の作家」は眉毛一本動かすでもなかった。

先にも触れたとおり、芹沢光治良の駿足な行動にもかかわらず、いや、急ぎ足すぎたのか、その年十一月のマルロー訪日は実らなかった。日本ペンクラブには、野坂昭如、井上ひさしといった面々の奇態な集団入会があり、どこで情報が洩れたのか、彼らの反対でマルロー招聘はお流れになってしまったからである。いっぽう、マルローその人も、それに先立って入院生活のため、訪日どころではなくなったが。

「天の時」、未だ至らず――。

その後も、しかし、芹沢光治良による蔭の努力は続けられた。そしてヴェリエール訪問から丸二年後の一九七四年五月、ついにマルロー最後の訪日と御進講の実現に至ったことは周知のとおりである。

*

さて、ここまでは、起こったことの事実であり、多少なりと既に禿筆をもって世に伝えてきたとおりであって、これ以上加えるべきディテールはない。いま、歳月を経て新たに思うことは、起こらなかったこと、事実の行間を読むことである。そのために、こうしてまず出来事を整理している。

いま最も思うことは、ヴェリエールの館という「地の利」、場の力である。そこは、神の沈黙に驚愕の叫びを発して火刑台上で息絶えた少女の血を引く一族の、神聖空間だった。なにゆえジャンヌにとって最後に「天の声」は途絶えたのか――そのことは、それが聞こえたであろう場合に劣らず「ミステール」だ。神秘は、五百年あまり、ヒマラヤ杉の巨木に囲まれたここのシャトーに、植物的生命とともに生きつづけてきた。

それにしても、本当に「声」は途絶えたのか。神は沈黙したのか。

さらに、日本とのかかわりにおいて、何が起こりえたのか。

同様の問いは、芹沢光治良のヴェリエール訪問より六年前に、遠藤周作が名作『沈黙』によって発していたところでもあった。

そして実は、光治良自身も、ヴェリエールに赴く前後、摩訶不思議な内的体験によってある声を聴く境地に引きこまれつつあったのである。

作家となる以前に、この人は、フランスのデュルケーム学派の経済学者として自ら合理主義をもって任じていた。そして作家となってからもその基本姿勢を変ずることはなかったが、あることから突如として強烈な神秘体験を得て人生の百八十度転換を余儀なくされようとしていた。それがヴェリエール行きと時期的に重なっていたことは、まことに奇なることではあった。

時あたかも、マルローも、一種の臨死体験を経て、自らを蘇生した「ラザロ」に比する不思議体験を得ようとしていたのである。

最後の訪日が実現して、東宮での御進講の大役を果たし、熊野・伊勢路で決定的な啓示体験を得たのは、その後のことである。

さらにその後のことであった——さながらこうしたすべての総括のように、私との「第七の対話」において、ジャンヌ・ダルクの「内なる声」について最重要の秘義を明かしてくれたのは。かの《二十一世紀はふたたび霊性の時代となるであろう。しからずんば……》との命題に触れるのは、そのときであった。

こうして考えると、一九七二年五月の芹沢光治良ヴェリエール訪問は、まさに霊性的見地から、一つの大きな転回点だった実相が浮かびあがってくる。

死者の使者たることによって、死者が生きた。

いっぽう、使者を迎えたマルローも、死んで生きた。

使者芹沢光治良は、日本の未来にかかわる密命の前後、実は驚くべき顕現現象を体験していたのだった。さらに、最晩年、ある神秘的な声を聴き、それと対話し、ここから二十世紀末において信じがたい神界入りを体験しようとしていた。それを全八巻「神シリーズ」の長編小説に仕立ててことごとく記述し、最後に齢九十六歳をもって、いみじくも『天の調べ』を絶筆として人生の大団円を迎えるに至るのである。

私などよりずっと以前にカトリックとして渡仏留学し、ほとんど棄教して帰国した遠藤周作が鋭く問うたようには――モーリヤックやベルナノスら仏作家ののちに――神は沈黙とは実は限らないのではなかろうか。

そして日本は、この沈黙を破るうえの文明的役割を負った国なのでは……

ただし、この神は、もはやゴッドではありえない。

たった一本の樹木であるかもしれない。

失われたキリスト教信仰を取り戻すのは、世界との「和解」であると、「ヴァチカンII」の法王回勅は告げていた。哲学者ジャン・グルニエも、その弟子カミュも、日本では柳田國男も、折口信夫も、小林秀雄も、「青空」から他界へと入っていったことで、実は一繋がりの空のもとに生きていたと云っては云いすぎであろうか。

マルローとその盟友川端をむすぶ絆を託されて、隠れミスティック、芹沢光治良がジャンヌ・ダルクの城に赴いた理由——「神のはからい」——は、おそらくそういうところにあったのかもしれない。

第六章　「声」との対話

「誰か知る、死後の世界を？」

仲秋の曇り空の下に、スペードのエースのような格好の尖んがり屋根が突き立っている。その建物に向かって、この国では珍しい風呂敷包みをかかえた一人のジャポネが路を急いでいる。

古い煉瓦壁に「ラ・サルペトリエール慈善病院」と名の刻まれたアーチをくぐると、受付の窓口で、訪問者は風呂敷を解いた。中から細長い包みを取り出しながら尋ねる。

「ムッシュー・マルローはここに入院しておられますか」

奥から出て来た守衛は、眠たげな声で、

「入院しているかどうか分かりませんが、お渡しします」

と、ちぐはぐな返事をして、それでも包みを受けとった。

匿名で入院しているのに違いない。

品物は、ちゃんとその手に渡るだろうか。

それは、一本の能の舞扇だった。

ジャポネは、建物の前庭に戻ると、振り返って眺めた。スペード型の屋根の下に、シンメトリカルに、のっぺりと窓々が広がっている。そのどこかに患者マルローはいるのだろう。新聞は、重態と伝えていた。もはや只の耄碌（もうろく）じじいにすぎないと、ひどい書きかたをしたものまである。英雄も、倒れるや虚しい。だが、そうはさせないぞ——

フランスが忘れようと、日本は忘れない。

この人には、われわれは恩義がある、と訪問者は思った。日本人がまだ敗戦の汚辱から立ちあがれずにいたときに、ド・ゴール特使として来日し、満堂の貴賓をまえに、武士道を讃えて、こう提唱してくれた。

《願わくば、大和魂をフランスに秘託されんことを》と。

あれは、演説などというものではなかった。誓願だった。マルローは、自ら誓願を立て、それを実行した。ド・ゴール政権十年の黄金時代に、日本文化をつねに共和国の上座に据え、全世界にその名誉を輝かしめて。

いままた、日本の未来が案じられるとき、盟友川端の信義にこたえてマルローは東宮殿下への御進講の大役を引き受けた。が、さあこれからというときに、病に倒れた。これは一番、どうあっても再起して、日本の土を踏んでもらわねばならぬ……

どの窓か、その人のいるであろう内側に、舞扇よ、翼のように飛んでいけ。

そこに織りこんだ紙片よ、彼の手に落ちよ。

そこにはこう記されていた。

行為者であり表現者であること、表現される者であり表現する者であること、裁かれる者であり裁く者であること、死刑囚であり死刑執行人であること、かつてボオドレエルが企て、二十世紀にいたって、マルロオの「行為」の小説がその一つの典型を打ち建てた、真に今日的な文学の困難な問題がここにある。

——三島由紀夫「ジャン・ジュネ」

三島も、川端も、死をまえにして、秘めたる何事かをフランスに伝えようとした。その求心力として、マルローの誓願がレーダーのように日本に対してはたらきつづけてきたということはないであろうか。

そうだ、あの誓願が発せられるのを眼前に聴いて戦慄し、二十八歳の青年は、お茶の水の堀端を駆けていったのだった。その道が、十数年後の、いま、マロニエの葉の散りしきる路へと、真っ直ぐにつながっている。そうだ、何が起ころうと、俺はたった一人でも駆けつづけるぞ。あのときのように。

ラ・サルペトリエール慈善病院を去りながら、そんなふうに力んだっけと、今宵、白(はく)髯(ぜん)を撫しつつ八十四歳老は振り返っている。

たしかに、あのとき、舞扇は、窓辺のいずこかから翼のように翔け入ったであろう。紙片は病者の手に落ちたであろう。だが、その人は、実際は、とてもそれを見るどころではなかった。退院後、最後の伴侶、ソフィーから電話があって、「素晴らしい扇」への礼とともに、こう頼まれた。騒ぎの中で紙片を無くしてしまったからもういちど送っていただけませんか。マルローは読みたがっていますと――。

それにしても、古色蒼然たるあの病院内で――あれから改装されてスペード型の屋根は取り払われてしまった――七十一歳のマルローが何を体験しつつあったかは、誰も窺い知ることができなかった。そもそも病名については、家で転んだとしか自著に記されていない。しかし、幽体離脱が起こり、さらには臨死体験の一歩手前まで行ったと、二年後（一九七四年）に出版された『ラザロ』で回顧している。

一夜、真っ暗な病室内で、二十五分間、「もはや肉体なしで」浮遊した、と。浴室に置かれた錠剤を取りにベッドから下りたときから、それは始まった。医師から聞かされた臨死体験なるものの、とば口だったのか。死の脅威のもとにあったことは確かだが、恐怖はなく、むしろある種の憑依現象のように感じた。漂ったまま、地上に戻れない感覚は、未体験のものだった。意識は、あった。全部ではないかもしれないが。「我なき自分、アイデンティティなきいのち」と化していた。

さらに、こう明確に記す。
「このアバンチュールで私を蠱惑するものは、いのちと、死の前兆的深淵の間で、壁の上を歩いたという事実である」
フラッシュ・バック――「めくらめく、あの映像」――はなかった、という。
ようやくベッドに戻り――何が戻ったのか？――朝となった。あれは悪夢ではなく現実だった。

私は、冥界から戻ったのであって、空無からではない。曰く云いがたい空間だったが、支離滅裂のものではなかった。ハッシッシをやるときの、羽化登仙の気分でもない。かつて知らざる感覚から立ち戻ったという意味では、最初の性体験のごときか……

さすがに、最後の一言で、ぐっとフィジカルにとらえている。
フィジカル、リアルであって、観念的、抽象的ではなかったのだ、あの体験は。
しかし、これだけでは、心理学的、生理学的な解釈に留まるであろう。ここからマルローは、一歩奥へと踏みこんでいく。インドのグルー、ラジャ・ラオから聞かされたことを思い浮かべる。それはこうだった。

西洋人は、西洋人だけではないが、部屋のようなものが別々に存在すると考えておる。いのちと、もう一つ、彼岸と。そして死とは、一方から他方への移動のごときものである、と。

死とは、光への路ですぞ……

そのことは、戻ってきたときに分かることじゃよ。戻るとは、つまり、死に似た何かから戻るということじゃが……

わしの師匠は、何時間も三昧の境に入ったのちに、戻ってきた。釈尊は、イリュミナシオン（正見）の中に入るよりずっと以前に、その何たるかを知った。人は、死を選ぶことができる……

「死を選ぶ」……これはキーワードだ。記憶しておこう。

ラジャ・ラオは、作家で、マルローとネール首相との会話の通訳をつとめてくれた人物とのこと。右の引用には敬意が行間に滲み出ている。

ラジャ・ラオ師からこのような垂示を得たときには、自分はまだ「未知へのアプローチ」はぜんぜん未体験だったと、マルローは告白する。そして次のように『ラザロ』第二章を締めくくっている。

「このインド人の畏友にとっては、私の体験したあのような心的状態が当たり前のものであるらしいことに、驚かされずにはいない。死との馴染み合い、とでも云おうか。インドには輪廻転生の思想があるからかもしれない」

『豊饒の海』をマルローが読んでいたならばと、悔やまれる。文化的時差があった。同書の仏訳版がガリマール社から出版されたのは一九八八年で、マルロー歿後十二年目のことだった。

『豊饒の海』と『反回想録』を読み比べてみればわかるとおり、三島もマルローも、この世を一種の「幻花（マヤ）」と見る点ではヴィジョンが一致している。二人ながらに「マヤの旅人」であったと私が呼ぶゆえんである。どこで彼らは出遭ったか——これは後代への宿題となった。*

*二〇一五年に東大教養学部で開かれた『三島没後四十五周年国際シンポジウム』に参加して、私はこのテーマで発表した。シンポジウムの主宰者、井上隆史教授編の『混沌と挑戦——三島由紀夫と日本、そして世界』水声社刊に収載。

ラジャ・ラオは、後年、筑波大学で行われた日仏協力国際シンポジウム《科学・技術と精神世界》に参加し、その超俗的人柄と高遠な思想で私共参加者全員に深い印象をあたえた。本手記「第四巻　筑波篇」で語りたい。

*

さて、『ラザロ』のおかげで、マルローをめぐるもう一つの衝撃的な秘密が明らかとなった。

マルローの父、フェルナンの死をめぐる出来事である。マルローのことは分析しつくしたつもりの私共マルロージアン（マルロー読み）にとっても、これはまったくの初耳で、かつ驚嘆すべき事柄だった。

同書でマルローは、父の死を思い出すことから、前述のごとき病院での自らの超常体験の記述へと入っている。それは、最晩年に至って、それまで秘匿されてきたマルロー文学最大の謎をとく鍵を著者自ら提供したようなものだった。

マルロー文学の読者なら誰でも、死の想念がその基低音であることを知っている。死の意識、観念、オプセッションなどと、さまざまに呼ばれてきた。それ自体、作家として格別珍しいことではない。問題は、そのかかわりかたである。どこからそれほどのアンチーズ（執念）は来たのであろうか。これについて、私自身も含めて大方の論者が、哲学的、概念的にのみ考えすぎてきた嫌いがあった。たとえば、パスカル的ヴィジョンである。「人間の条件」とは、順番に死を待つ死刑囚のごとしとしている。

それはそれでいいのだが、総じて肉付けを欠いてきた感は否めない。

マルローが祖父をも父をも自殺で失った事実そのものは、十分に知られてきた。祖父の場合には、伝説が入り混じっているようだが。ところが、『ラザロ』で、父フェルナンについて、突如として、というか、ついにというか、初めて秘密の封印が解かれた。そしてそれは実に思いがけないものだった。

「彼岸（オードラ）への好奇心から」父は自殺した、というのである。

退役軍人だったフェルナン・マルローは、一九三〇年、アンドレが二十九歳のときに自殺した。そのとき、アンドレが、最初の妻クララとともにその枕辺に駈けつけた――ということまでは、世に知られるとおりである。ところが、死の謎について、初めてこのように明かされたのだ。

父は、自殺したとき、ナイト・テーブルの上に、何やら一冊の本を開いたままに置いてあった。そこには次の一行にアンダーラインが引かれていた。

「そして、死後、われわれが何を見いだすか、誰か知ろう？」

自殺というストイックな影の中に、未知世界への好奇心が滑りこんでいたのだ……

これを読んで私は、「彼岸」に対する西洋人の好奇心の強さに改めて打たれずにはいなかった。マルローはさらにこう回顧している。

第一次大戦中、父は、内地へ帰還すると、しばしば司祭の家に泊まっていた。父の信仰は、その世代の多くの人々と同様、曖昧なものだった。教会の想い出、わが母の信仰からの感染、漠然たる理神論といったたぐいである。新しい司祭館に泊まるたびに、新しい司祭に向かって父はこう訊くのだった。

「もちろん、私は神を信じていますよ。でも、われわれの知っているアラブ人だって、ヒンズー教徒だって、仏教徒、ユダヤ人だって、みんな神を信じているじゃありませんか。それに、私がイエス・キリストを信じているのも、つまりは公教要理（カテキスム）を学びに行ったからじゃありませんか？」

返事はまちまちだった。また、父を説得させることはなかった。パスカルだって説得されなかったに相違ない。

初めてマルローが披露したこの挿話は、ある重要なポイントをわれわれ日本人に喚起せずにいない。

彼岸に対する彼らの執拗な——そのために死ぬほどの！——好奇心は、キリスト教信仰の衰退と同時に起こった、ということである。

そして、近現代の「マリア顕現」現象という超自然現象とも、それは時を同じくしていた。ルルドは、彼岸はあるとの、最大の応答だった。二十世紀最大の奇蹟といわれるこの現象を追って、私は、のちに、アルプスからピレネーへかけての徹底探索に乗りだすこととなる。「第七巻影向篇」で詳しく語るであろう。

ともあれ、ここでは推論は抑えて、フェルナン・マルローの自殺をめぐる秘密に迫りたい。

若きマルロー、父の死を介錯

その秘密を私に打ち明けてくれたのは、マドレーヌ・マルローである。

マドレーヌは、マルローの前妻クララのあとの正妻で、一九六〇年、文化大臣マルローが日仏会館で誓願を発したときに同行していた。日仏国交再開の大舞台で司会を仰せつかった私が見回すと、会場を埋めつくす貴顕の士の第二列目に、素晴らしい脚線美を見せて、着物姿の川喜多かしこさんと並んでいたのが大へんに印象的だった。

マドレーヌは著名なピアニストで、老いてなお美しいと評判だった。実際には二十年間、表面的に「マルロー夫人」を演じつづけたにすぎないという夫婦仲だったが。

もともとマドレーヌは、戦時下、レジスタンスでゲシュタポに殺されたロラン・マルロー——アンドレの兄——の妻だった人である。アンドレ自身も、レジスタンス活動中に、南仏に残してきた愛する美貌の伴侶ジョゼット・クロティス——二人の男児をもうけた——を轢死で失うという悲運に見舞われていた。似た境遇から相寄る魂で結ばれたが、お互いに「誤解」と悟るのも早かった。天才とは、崇拝すべきもので、愛すべきものではない。マドレーヌの目にマルローはウイスキー漬けの精神的荒廃者と映り、本当に愛していたのは前夫ロランだったと悔いを嚙みしめる日々が続いた。時代が、追い打ちをかける。一世の風雲児にとって、巨大な運命に身をまかせる以外に苦難の克服はありえなかった。その運命とは、「ド・ゴール」だったのである。

「きみ、ランテルヌに来たことある?」

と、ある日、マルローから訊かれた。

いいえ、と答えた。

知らないんじゃ話にならないというふうに彼は口をつぐみこの話はそれきりとなった。その名も奥床しい「ランテルヌ」(角燈)というヴェルサイユの美々しい官邸に、文化相時代のマルロー夫妻は住んでいた。小松清はそこを訪ねているが、私は写真でしか見たことがない。その大邸宅で、マルロー夫人マドレーヌは、自分の連れ子のアランと一緒に、マルロー前妻の娘、フロランスと、ジョゼットの忘れ形見である二人の男児を育てた。アラン君は、演劇人で、レニングラード街の拙宅に遊びに来たことがあるが、「うちの家族はコンプリケー(複雑)です」と嘆いていた。無理もないと同情した。ともあれ、そんなこんなで、マドレーヌ夫人は、押しも押されもせぬ大臣の「大奥方(グランド・ダーム)」だった。ところが、マルローの人生を染めた悲劇的事件の一コマというべきか、二人の実の男児が、成人後、長男の結婚を間近にして自動車事故で同時に死んでしまった。マルローをマドレーヌに結びつける最後の絆は断たれた。そんなときに、運命の女性、ルイーズ・ド・ヴィルモランが現れたのだった。

運命は公私の変化を同時に織りあげる。政界を退いたマルローは、先に詳しく見たように、ルイーズの城に移り住んだ。天下晴れての道行きである。ヴェルサイユからヴェリエールへ――響きがいい。どちらも、フランス語の音韻を魔術的に美しく響かせる「V―R」の接頭語が付いている。

ある日、私は、隠棲したばかりのマルローをヴェリエールに訪ね、ルイーズと会った。ルイーズ亡きあと、その姪のソフィーとも会った。傷心のマルローはやがてソフィーと結ばれ、二人して最後の訪日をとげることとなる。

その間に、愛とレジームの相剋を、私はとっくりと見てきた。

アンシアン・レジームは政治ばかりではない。愛の聖火が別の手に移ったあとの、妻の座がそうである。フランスといえども、法律の壁は、バスチーユの壁に劣らず厚い。結婚を夢見たルイーズは泣き、ソフィーも泣いた。正妻マドレーヌは、頑として離婚を肯んじなかった。ソフィーのときは、マルローも粘った。ついにマドレーヌは、ウイと応ずる――ただし、天文学的数字の離婚料を条件に。

「仕様がない。要するに、結婚は、坊主（ボンズ）がつくるものだ……」

天下の伊達男も、そう云って諦めざるをえなかった。

マドレーヌの側では、ソフィーを、単なる「看護婦」呼ばわりしていた。これはソフィーの耳に入り、口惜しさで歯ぎしりさせた。心身ともにダウンした最晩年の文豪をささえて畢生作を完成せしめたのは、ひとえにソフィーの愛と献身のおかげだから、無理もない。ソフィーの目からすれば、正妻は、愛のかけらもない業欲の塊でしかなかった。ついに、一九七六年、マルローが七十四歳で永眠したとき、ソフィー・ド・ヴィルモランは、吐き捨てるように私にこう云ったものだった——

「この時を、彼女は待っていたのよ！」

それはそうであろう。愛なき以上、正統性以外に何が物をいうだろう。権威と遺産を、いまこそ正妻が握りしめるべき時が来た。

いっぽう、愛人には何が残るか。

永遠の愛？　だが、想い出だけで済むことだろうか。

こうして、ソフィー・ド・ヴィルモランは、人生で初めて本を書いた。いみじくも『いまなお愛して』(Aimer emcore) と題して。ストレートに、そこでこう切りこんでいる。

「私は、看護婦なんかではない。マルローほどの男が、只の看護婦に満足するであろうか」

同書は、文庫本ともなって、広く読まれた。「アムール共和国」、ばんざいだ。

が、敵もさるもの――。

パンテオン入りした英雄もおちおち眠っていられないような火花がなおも散った。この時とばかり、ピアニストは賭けに出た。なんと、マルロー歿後三十三年目、二〇〇九年に、御歳九十五歳で、「マルロー夫人マドレーヌ」と麗々しく銘打って、世界演奏旅行に打って出たのだ。その年の十一月、日本にも来た……。

若きマルローとカンボジア冒険行を共にした最初の妻、クララも、けっこう長寿だった。マルローの歿後、パリの大学都市の近くに住んでいたクララを、私は一回だけ訪ねたことがある。村松剛も一緒だった。往年の夫から多少の形見分けがあったが、即座に売り飛ばしてしまったと、もっぱらの噂だった。しかし、質素な小部屋で、見るからに壺ひとつ置く隙間はなさそうだった。

昔の夢いずこと云いたくなるような、もじゃもじゃの白髪頭で、脳天から出るような声を張りあげてクララはわれわれの質問に答えてくれた。私は確認のつもりで訊いた。

「マダム、あなたは、マルローの父親が亡くなったとき、彼と一緒に枕辺に駆けつけたんですってね。フェルナン・マルローは、なぜ自殺したのですか」

「パー・クェスチオン」（問答無用）

と老女はカラス声を出した。

「決まってるじゃないかね。あの世への好奇心からじゃよ」

パー・クェスチョンとは恐れ入った。

ともあれ、事実は『ラザロ』に書かれたとおりだったのである。

そして同書にそれ以上のことは書かれていないから、質問はそれきりで打ち切ったが、実際は、想像もつかないその先の真実が不問に付されていたのである。

あれは何年のことだったか、同じく私が筑波大学で教鞭を取っていたころのこと、テレビマンユニオンが「マルローと日本」のテーマで映画製作をしたことがあった。私は監修の立場でパリまで取材に同行した。その折、マドレーヌを自邸に訪ねてインタビューしたところ、収録後、思いがけない秘話をぽろりとこぼしてくれたのである。もちろんピアノのある部屋で――カメラを前にドビュッシーを弾いてくれたあとで――こう打ち明けてくれたのだ。

「アンドレは、父親が自殺したとき、実は介錯したのです……」

ええっと、のけぞる思いだった。そんなことは、かつて一度も聞いたことがないぞ……

しかし、こちらの様子にはおかまいなく、事もなげに続いてマドレーヌはこういうのだった。

「実の息子として、どんなにか苦しかったことでしょうね」

もちろんだ。死を看取るのではなく、達成したとなるならば！

電光に照らされたように、マルロー人生の最深部の謎が一挙に照明された思いがした。

「介錯した」となると、取りも直さず、その瞬間までフェルナン・マルローは生きていたということになる。

アンドレとクララの夫妻が出来事を知って駆けつけたときには、父親はまだ息があったのであろう。確かなことは、そのとき、末期の肉親を病院に運んだり解毒させたりする――服毒したとして――のではなく、むしろ、何らかの仕方で、その死を全うさせる道を選んだということである。

軍人だった父の意思を汲んだ――のであろうか。

あれほどまでに、日本の武士の死のマナーに彼がこだわった理由――秘めたる――は、これだったのであろうか。三島由紀夫の死を知って、「アドミラーブル！」と嘆声を発し、こう自問したことが思いだされた。

「しかし、なぜ、ある様式（マニエール）によってなのか」

ともあれ、マルロー文学に重低音として流れる「死の意識」は、観念としてより先に、大元に、もっとデリケートな……、いわばフィジカルな原因があったのではと察せられる。

キリスト教が自殺を禁じたことは知られている。しかし、ローマの武人には自決の風習があった。いや、ローマ以前のエトルスク文明にも。ちなみに、私は、ギリシアとローマの間に一千年間も続いたイタリア半島の謎の民族といわれたエトルスク人の文化について、一時、ずいぶんと魅せられたことがあった。留学生活の初めごろ、ローマ郊外のチェルヴェテーリの遺跡を訪ねたのがきっかけだった。一望、果てしなく続く草原の中、一千もの地下墓地（ネクロポリス）が点々と散りばめられていて、その一つ一つはまさに彼岸の生活の保障なのであった。死者たちが生前と変わらずに食し、性交し、楽しみを続けられるように、棺を囲む四壁がそのような光景で極彩色に描かれている。そんな中に一つ、快楽とは違う性質の絵があって、ひときわこれに私は引きつけられた。一人の貴族が、跪いて、胸に短刀を刺し、流れ落ちる血を愛犬に舐めさせている図である。強大なローマ帝国と、明日、一戦を交えるという前夜には、こうして戦神に己の命を供献して勝利を祈ったのだという。

三島由紀夫自刃の報を聞いたとき、なぜか私はその壁画を思いだした。三島自身、貴族といっていいほどの家柄の出である。少なくとも、精神の貴族であった。才能、志、勇気の高さにおいて、比肩する者はない。ゆえにこそ、捨身の資格を得たのではなかろうか。エトルスク、続くローマでも、卑賤な人間が自刃をとげたとしても神が嘉納することはなかった。

エトルスクといえば、「仰臥像（ジザン）」が有名である。石棺の蓋の上に、生けるがごとく夫婦の彫像が横たわり、わずかに半身を起こして手指を伸ばし、彼岸を指さしている。ローマのエトルスク美術館にも、ルーヴル美術館にも、有名な一作がある。死を選ぶ文明において、彼岸は、かくのごとく強烈なのであった。

*

マルローの父、フェルナンが自殺の枕辺に残した言葉、「そして死後、何が起こるか、誰が知ろう」は、三島由紀夫の『奔馬』の中の次の一節を私に思わせずにはいない。

……死を決したころの勲は、ひそかに「別の人生」の暗示に目ざめてゐたのではないだらうか。一つの生をあまりにも純粋に究極的に生きやうとすると、人はおのづから、別の生の存在の預感に到達するのではなからうか。

問いに対する答えではなく、問いに対する問い、共鳴を、われわれはここに聞く。自決する父を介錯する若きマルローの視線は、若き国士、飯沼勲の切腹を見届ける三島由紀夫の視線と交叉するかのようだ。

少し先で三島はなおも思想を明確化している。

……重要なのは、ただ一つ、行動を以てする先見なのだ。勲はみごとにこれを果した。そのやうな行為によつてのみ、時のそこかしこに立てられた硝子の障壁、人の力では決してのりこえられぬその障壁の、向う側からはこちら側を、こちら側からは向う側を、等分に透かし見ることが可能となるのだ（……）

死の瞬間に勲が果してそのやうな世界を垣間見たかどうか（……）。二つの生が、二度とやり直しのきかぬ二つの生起を通じて、あの硝子の障壁をつらぬいて結ばれる（……）

インドのグルー、ラジャ・ラオ師がマルローの前で指摘したような「西洋人の」生死観を、三島は持っていない。彼岸と此岸を別々の部屋のように考え、間に扉を立てるような——。

いや、扉は、「障壁」は、ないではない。

だが、それを透明化する究極行為なるものが存する。それによって、死と生の「二(に)分(ぶん)」は消え、両者を「等分に透かし見る」地点に、人は立つ。日本的超越性とは、その究極行為なのではなかろうか。

佳人ルイーズの死に始まって、ド・ゴール、三島、川端と、相継ぐ英雄の死を経て自らの臨死体験に至るまでの、「ヨナ腹中」の苦難の三年が過ぎたとき、マルローの魂は、日本とフランスの空をむすぶこのような霊性の渚に立っていたであろうと、私は推察する。

那智の滝は、その先に、「一剣、逆しまに立つるがごとく」(『非時間の世界』)彼を待っていたのだった。

ジャンヌ・ダルクと「声」

ほかならぬマルロー自身の父親の、狂おしいばかりの「彼岸」に対する好奇心――自ら「死後」を知るために命を断ったほどの！――を知って、改めて私は、ここの国びとたちの未知への渇望の烈しさに驚嘆するばかりだった。

思えば、わが最初のフランス生活十一年間は、終始一貫、いわば彼岸変奏曲（オードラ）を聴いてきたようなものだった。一九六三年秋、初めてパリ入りして早々、プチ・パレ美術館で見た日本古美術展が《日本芸術の中の彼岸》と題されていることに、目を見張って以来、である。ギメー美術館の演壇で私が聴衆から受けた質問は、「禅にも彼岸ありや？」であった。ソルボンヌでの我が指導教官、ジャン・グルニエは、幼時、異界の「空白」に呑みこまれた至福体験から人生を生きはじめた哲学者だった。極めつきは、マルロー隠棲先のヴェリエールの館でジャンヌ・ダルクの末裔から聞かされた「大いなるミステール」――「天の声」である。そして、ついには、マルローの父フェルナンの、彼岸探訪のための実験死ともいうべき前代未聞の出来事を知ったのだった。

長いフランス生活に訣別を告げて帰国する直前の、一九七四年早々のことである。

一口に彼岸、異界と云っても、芸術的なものから神秘主義的なものまで種々あろう。しかしながら、かの「オルレアンの乙女」に下った「天の声」だけはまったく別物だと、私は直観した。人間の歴史に介入し、それを変えようとする意思としてはたらいたこと、明白だからである。

その証拠に、「声」との対話があった。

「わたしは戦いかたも知らない小娘ですのに」と抗うジャンヌに対して、声は説得し、勝利させ、最後は沈黙した。

あの声とは、いったい何だったのか——。

どうやら、西洋文明には、見かけの現実世界の奥に、凡愚には到底想像のつきかねる途方もない奥行きが隠されているようであった。

これとは比較にならない遠い自分自身の乏しい不思議体験を、ぼんやりと私は思い出すことがあった。わけても、「ロジエー」の夢を。

いつの日にか、その謎を解きうるかとのひそかな望みを抱いて人生を生きはじめ、フランス留学中にもそれは忘れたことがなかったが、しかし私は夢でそのように語りかけてきた「インド女性」と対話の関係に入ったわけではなかった。

そういえばと、さらに回想をめぐらせた。

そもそも私自身、一本の樹木の語りかける声を聴きたいと、狂おしいばかりの思いに取りつかれた若き日があったな、と。

それは、当初、詩を書く行為と一つものだった。誰しも、詩や歌を作ろうとすれば、自ずと一木一草の声を聴こうとするものだ。いや、それは逆で、松風、波の音を聞けば、おのずと歌ごころが生まれてくるのである。その意味では、若いときは誰でも一度は詩人であり、自分もその例外ではなかった。まだ人生が始まる以前、島崎藤村を気どって千曲川のほとりを歩きながら耳を澄ましたこともあった。ところが、あるとき、ヴィクトール・フランクルの『夜と霧』を読んで衝撃を受けた。アウシュヴィッツの獄窓から見える一本の木が、「私はある、私はある、私はある……」と語りかけてきて、その声を聴いたおかげでフランクルは生きる勇気を得たというのだ。（ずっと後年、一九九七年に、皇后美智子さまが、その年の忘れがたき出来事として真っ先に「フランクルの死」を挙げていらっしゃったことが思いだされる）。

私の場合には、フランクルの聞いたような声を自分も聞けないだろうかと詩的憧憬を抱いたにすぎなかった。生死線上に立つことが、ぎりぎりその種の神秘体験を得るうえの最低条件であろうに、思えばナイーブなことだった。

二十六、七歳のころ、軽井沢で、ある友人にそうした関心を打ち明けたことがあった。相手は私より若い東大出の峯村敏明君という秀才で、マルロー会のメンバーだった。のちに美術評論家として名を成した。その切れる頭で私の告白を聴くなり、彼はこう応じた。「そのような声を聴くということは、芸術創造の中でのみ可能のことではなかろうか……」

この時の会話は、その後ずっと我が胸中に蔵されたままだったが、あるとき、ふと思い出されてこれを口外した。

こんどは、相手は、著名な銅板画家、長谷川潔氏だった。パリのヴィラ・スーラ三番地、画伯のアトリエで、一九六八年ごろだったであろうか。軽井沢での峯村敏明との会話から十年近く過ぎていた。当時、私は、この偉大な版画家の一代記の聞き書きにたずさわり、十数回もそのもとに通い詰めていた。私の述懐を聴くなり、「マニエール・ノワール」（黒の様式）の巨匠は、こう思いがけない反応を示したのである。

「そうではありませんよ。まず、実際に一本の木の声を聴くという体験があって、しかるのちに芸術創造があるのです」

そう云って長谷川潔はこう自らの体験談を語ってくれた。

第二次大戦中、在仏日本人はあらかた故国に引き揚げてしまったが、自分はフランス

長谷川 潔

白昼に神を視る

長谷川 仁・竹本忠雄・魚津章夫
共 編

白水社

1

2

3

「まず神秘体験があって、それから芸術が生まれるのです」(長谷川潔)――
1. 在パリ孤高の銅板画家、長谷川潔の貴重な体験を聞き書きし、一本の樹木の語りかけてくる声を聞いて「以来、私の絵は変わった」との告白を記録する(234頁)。
2. 『長谷川潔回想録』を編纂、刊行。
3. ヴィラ・スーラ街3番地のアトリエの長谷川潔画伯。

人の妻とともにパリに留まっていた。敵性国家の人間だというので石を投げられたりしながら、非常な困苦を忍ばねばならなかった。ある朝、いつもと同じように籠を手に、何か画題に使える材料はないかとパリの近郊を歩いていると、いつも通る道の一本の木が燦然たる光を放って、「ボン・ジュール！」と私に話しかけてきた。こちらも「ボン・ジュール！」と答えた。すると、その木が実に素晴らしいものに思えてきたのである。そのとき以来、私の絵は変わった、い、い、い、い、変わった――と。

その木とは、楡（にれ）の木だったという。（ここでは楓ではなかった）

オー・フォルトの技法の銅板画で、「一樹」と題された作品がそれであると教えられた。『長谷川潔回想録』を纏めながら私は画伯の語録を別に書き取っていたが、この述懐を聞いたときは心底感動した。現に同回想録を収めた『白昼に神を視る』という本の、巻頭語録のトップにこの挿話は置かれている。若き長谷川潔研究のエキスパート、横浜美術館の猿渡紀代子さんは、長谷川潔回顧展を開いたさいに、会場入口に突出してこの「一樹」を架ける繊細な配慮を示した。

ところで、ジャンヌ・ダルクの聞いた声にそれほど大きな関心をそそられながらも、そのことを私がマルローのまえで取りあげたのは、だいぶ後のことだった。最後の訪日後、正確には「第七の対話」を行った一九七五年十一月二十四日のことである。前述のごとく、それは、それより六年前、初めて私がヴェリエールにマルローを訪ねて「ジャンヌ・ダルクの末裔」ルイーズを紹介されたときと同じ、「十一月二十四日」であった。

その日、私は、ずっと心にかかってきた「声」の問題をついにマルローのまえに持ち出した。歴史家ミシュレの小篇『ジャンヌ・ダルク』の冒頭の一句に対して疑問を抱いていたので、それを引用することから切り出した。《十二歳の少女が内なる声を天の声と取り違えて、祖国救済の途方もない考えを抱き……》とのフレーズである。

日本の進歩的文化人にとってバイブルのような『フランス革命史』の著者、ジュール・ミシュレの、奇蹟を排した人間ジャンヌ・ダルク観が、この一言に端的に打ち出されている。「天の声」など、あるはずがない。「内なる声」、すなわち心理的なものにすぎない、との解釈である。

ところが、マルローは、即座にこう応じたのだ。

「……ということには必ずしもならないのだよ」と。

その理由について、こう説明した。

「なぜなら――注意したまえ！――ジャンヌは裁判でこう云っているのだから。私が捕らえられたのは、声が何々せよと云わなかったときのことです、と」

どういう意味であろうか。

こちらの顔つきを見てマルローは続けた。

「つまり、こうだよ。ジャンヌは常時、戦いの中にあった。そしてその行く先々で、特にパテーの初陣で、声は彼女にこう命じていた。《往け、神の娘よ》と。しかるに、コンピエーニュでは、声は語りかけてこなかった。後にも先にも彼女が声を聞かずに出陣したのは、そのときかぎりだった。そしてそこで捕虜になってしまったのだ。ジャンヌ・ダルク裁判でこのことは極めて重要と見られるようになっていったのだよ……」

さすが、核心の一点を衝いた指摘ではあった。

ジャンヌと声の関係をこれ以上適格に要約することは不可能であろう。

「コンピエーニュ」とマルローが云ったのは、パリ北方のイール・ド・フランス圏内の町である。一四三〇年五月二十三日、ジャンヌは、ここの防衛戦で敵側ブールギニョン派の軍隊から弩(おおゆみ)で射られて落馬し、捕虜となった。そして金貨一万リーヴルで英軍に売り渡され、丸一年後、火炙りの運命をたどった。不思議な声は、あらかじめジャンヌに、「洗礼者ヨハネ祭（六月二十四日）の前に捕虜となるであろう」と警告していたのだったが、そのときにかぎって彼女はそれに従わなかった——とマルローは語ったのである。

ジャンヌ・ダルクのドラマとは、事ほど左様に、終始一貫して声のドラマであった。声をどう捉えるかで裁判は決せられた。公表された裁判記録を読むと、この点についての彼女の大らかな陳述には胸を打たれずにいない。

マルローの解釈はなお続くのだが、それを見るまえに、もう少し詳しくジャンヌの生涯（一四一二―一四三一年）と声の関係を振り返ってみよう。

それは、ジャンヌ十二、三歳の、ある夏の昼どきだった——アルザス地方、ドンレミ村の自宅の庭先で彼女が初めて「神の声」を聞いたのは。

声は、教会の庭先から聞こえ、その方向に光があった。声は「神の守りを得て身をつつしむように」と諭し、彼女は純潔を神にささげることを誓った。

以後、声あるところ、かならず光が顕れた。いや、光あるところ必ず声が聞こえたというべきかもしれない。この最初の段階では、まだ女神や天使の顕現は起こっていなかったようだ。ところが、百年戦争でイギリスの支配下に置かれたフランスを「神、大いに憐れみ給い、ジャンヌよ、往きてオルレアンの囲みを断つべし」とのお告げが下される。こう聞いてジャンヌは、これは聖ミカエルさまに違いないと畏れを抱く。ここに初めて天使の群れとともに聖ミカエル（と覚しき姿）が顕現する。ジャンヌは頭を低くして礼拝する。聖ミカエルは「まことに高潔の士」と彼女の目に映った。

「フランス王国のただなかにピエテ（敬神）あり」と有名な一言を天使たちが述べたのは、このときである。

ついで聖ミカエルが「我らの主の命により、聖女カトリーヌと聖女マルグリットがそなたに来たりて助けるであろう」と告げたのも、興味ふかい。これら二人の聖女はフランス王国の国神（くにがみ）だからである。「このお二人の聖女さまは」とジャンヌは証言している。「とっても立派なお顔で、きらやかな宝冠をかぶっておいででした。ちょっと会釈をされて、そのように名乗られたことで分かりました……」

のちに囚われのジャンヌがこう陳述するや、並みいる裁判官にいかに動揺が走ったかは、想像に難くない。中世の昔とはいえ、幻視者は、おおよそ狂人か悪魔つきと相場が決まっていたからである。

四年後、ジャンヌが十七歳に達したころから、声は切迫した調子となり、「神の娘よ、行きて、ヴォークールールの町に住むロベール・ド・ボードリクールを訪ねよ」と具体的指示をあたえはじめる。ボードリクールとは、フランスの王太子シャルル七世の味方の中で最も活動的な騎士の一人だった。これに対してジャンヌは、「私は貧しい娘で、馬にも乗れず、戦いの仕方も知りません」と答えるが、同じ命令が二、三日置きに繰りかえされるので、ついに意を決して出発する。このことからも、小娘ながらジャンヌが催眠術にかかったように一方的に声に誘導されていたわけでないことが見てとれる。時には彼女はそれに抗(あらが)ってさえいたからである。

以後、ドンレミ村の田舎娘は、彼女を単なる狂女あつかいする人々を、ひたすら声を頼りに、疑念から信頼へと導いていく。最初に会った騎士ボードリクールは、彼女から「王国は王のものではなく主のものです」と云われて驚き、「主(メシア)とは誰のことか」と聞き返している。これに対する返事は、「天の王(きみ)です」であった。

それから、史上有名なシノン城謁見の場面となる。王太子と、その挺臣たちは、世間を騒がす「神の娘」とは何者か、一目見ようと、罠を張って待ちかまえていた。春浅き三月の夕べ、篝火の焚かれた中をジャンヌ一行が現れると、大広間には五百名の挺臣が居流れ、王太子はその間に従者の格好をして隠れていた。しかしジャンヌは、ためらうことなく真っ直ぐにその前に進み出て、跪いた。そして「私は王太子ではない」と云い張る相手に向かって、「神の御名により、やんごとなき王子さま、王太子はあなたであり、ほかの誰でもありません」と述べると、さらにこう告げた。「私は乙女子(おとめご)ジャンヌと申します。天の主が、あなたは私を介してフランス大聖堂で戴冠され、フランスの王たる天の王の副将軍（リュートナン）となるであろうと仰っています」

ついで、王太子シャルル七世はジャンヌと別室に入ったが、しばしのち、部屋から出てきたその顔は喜色満面、別人のごとくであったという。実は彼は、自らを庶出子ではないかと疑い、そこから万年王太子たるの地位に甘んじていたのだが、実際は正嫡であることをジャンヌは示したらしい。王太子は、そのことを信ずるに足る奇蹟を見せられている。ジャンヌ自身の証言によれば、それは、「顕現と啓示」であった。「その内容は云えませんが」と。彼女はまた、「王と他の何人もの人々が私と同じ声を聞きました」とも述べている。出陣に先立って、現象の客観性が保証されたのである。しかし十分ではなかった。

ポワチエで開かれた、司教や王室顧問などから成る公聴会の場で、十数回も尋問が行われ、「そなたを信ずべき徴（しるし）を見せよ」と迫られる。これに対して王国の未来を予言するとともに、前記の二人の守護聖女の声により、宝剣発見を予告する。すなわち、もし公聴会が聖女カトリーヌ・ド・フィエールボワ寺院に手紙を書き、祭壇の下を掘らせるならば、そこに五つの十字架の文様（もんよう）を刻んだ一振りの剣を見いだすでしょう、と。はたせるかな、寺僧らは剣を見いだし、錆を落とすと、そこに、云われたとおりの文様を見いだしたのであった。

こうしたテストにすべてパスしたあとのことであった、ジャンヌがオルレアンへと出陣したのは。その後の武勲の数々は世に知られるとおりであり、いまここに詳述するまでもない。

ただ、つねに、声との対話があった、

それはいったい何であったのかとの疑問を、伝説と記録を読みながら俗人たる私は捨てきれずにいたのである。心中、何度もこう思いながら――

おゝ、まさしくこれは、ヴェリエールの城主、アンドレ・ド・ヴィルモラン氏から聞かされたとおり、「大いなるミステール」だ。それにしても、あの声とはいったい何だったのであろうか、と。

「ミステール」との印象は、しかし、「天の王（きみ）」とされる声の主が最終的にジャンヌを火刑から救う奇蹟を示すようには動かなかったという点において、われわれにとってなおも深まらざるをえないのである。

ジャンヌ・ダルクの生涯がイエス・キリストのそれにしばしば比せられるのは、ここである。ジャンヌが最後に発した絶望の言葉は、いかにも、十字架上のイエスの最後の言葉、「エロイ、エロイ、ラマ、サバクタニ」（我が神、我が神、なぜ我を見捨て給いし）を思い出させるものであった。奇蹟は、どちらの場合にも、生き身を救うようにははたらかなかったのである。殉難とは、まさに神の沈黙を受け容れることにほかならない。

輝かしい現世での勝利の数々のあと、ジャンヌを待っていたのは失墜であり、死であった。英軍に占領されていた数々の要塞を奪回して緒戦の勝利をもたらし、その間、敵の旋転矢で首と肩の間を射貫かれながらも奮戦を続けて、オルレアンを解放し、ついにランス大聖堂においてシャルル七世の戴冠式を挙行するに至るまで、すべて声に忠実に従ってジャンヌは行動し、その間、昇り龍の勢いにあった。が、その後、パリのサン・トノレ門の戦いにおいて弩(おおゆみ)で腿を射貫かれ、声はパリに留まれと命ずるも、王命によって撤退させられたときから運命は変調する。ここから、前記のごとくコンピエーニュで捕虜となるのである。

捕虜の身となっても、ジャンヌの「声」への無視は続く。

天守閣に幽閉中、「飛び降りるなかれ。神がそなたとコンピエーニュの住民を救うであろう」と警告があったにもかかわらず、ジャンヌは、ボーヴェの司祭が彼女の身柄をイギリス人に売り渡すべく交渉中と聞いて激昂し、七十尺の高さの天守閣(ドンジョン)から飛び降りる。奇しくも仮死状態で一命を取り止め、ルーアンへと送られた。ここから火刑台に至るまで、もはや現実の救いはなかった。

教会と裏切りと政治体制を敵に回して、最後の絶望的戦いが始まる。しかも、公開審査会でしつこく繰りかえされた「なんじは教会の決定に従うや」との質問に対して、オルレアンの少女は、「私は、私を送りこした我らが主に、聖母さまに、天国の尊き聖人聖女たちに従います」と一貫した信念を吐露して、一歩も退かなかった。

オルレアンとルーアンで行われたジャンヌ・ダルク顕彰祭において、フランス政府を代表して文化相マルローが述べた言葉の意味は、おそらくその一点とかかわりがあろう。

「ジャンヌは本質的なもののために戦う」

と。

この「本質的なもの」(l'essentiel) とは、何か。

去る第二次大戦中、われら日本人が護らんとした日本の本質とは何であったろう。

ジャンヌの影を追っているうちに、いつのまにか私が辿り着いた問いは、これであった。

天啓とは対話なり

ミシュレの言とは反対に、ジャンヌは、「内心の声」を「天の声」と取り違えたのではなかった、

ヴェリエールで、マルローが私に教示してくれたことは、それである。

ここから会話は、もう一つの重要なポイント――東西文明の本質的相違点へと移っていった。私はこう質問した。

「ジャンヌの聴いた声はキリスト教的《天啓》を表していると思われます。しかし、東洋にも、禅のサトリのように一樹の声を聴くということがあります。これはどう違うのでしょうか」と。

これに対してもマルローの答えはこの上なく明晰であった。

「禅の啓示とは、領域の啓示だ。宏大な領域の――。これにひきかえ、キリスト教の啓示は、対話なのだよ……」

「領域」と「対話」。そうか、そのように違うのか。

たしかに、禅のサトリは、仏陀との対話によってもたらされるのではなく、ある「宏大な領域」――「宇宙と我とは同根」といったような――の中での自覚である。これに

ひきかえ、ジャンヌが聴いたような声、またそれによる天啓は、かりにこれを一種のサトリと呼ぶにせよ、何物かとの「対話」によってもたらされるものであった。

しかし、マルローは、なおも考えていた。

「そう……何か適当な言葉があったと思うが……」

そう云いながら視線を上に投げる。宙をまさぐるかのように。

大きな疲れがその顔に滲みでていた。

私は、忍び寄る黒い影をそこに感じないではいられなかった。が、同時に、であればこそ、本当の秘伝をいまここで得なければとの思いを抑えがたく――残酷なほど！――内に感じていた。

奇蹟的記憶力をもって万人を驚かせつづけてきたこの人に、忘却と云うことはありえない。即座に彼は探す言葉を見つけだした。

「……そうだ、《召命》（アンジョンクション）、これだよ」

続いて、こう云った。

「召命は、ジャンヌにとって完全に一つの言葉として聞かれたということなのだ。裁判記録の中で彼女はこう陳述しているね。最初、私は父の庭の奥にいました。すると、声は初めて私にこう云ったのです——往け、フランスの娘よ、と。それから三語が続くね。実に感動的な三語が。《恐れを—知らぬ—娘よ》と……」

終始一貫、ジャンヌ・ダルクのドラマとは「声」との対話であったことが、以上からしてなお明らかとなった。しかし、これを現代の歴史的視点から考えると、どういうことになるのか。

ジャンヌは「象徴的言語」を使ったという捉えかたをするしかなくなる。中世史の専門家、レジーヌ・ペルヌーが『ジャンヌ・ダルク論』の中で呈する見解は、そのようである。「天使や王冠について、当時の人々は本能的に象徴を好む傾向が強かったようである」と云っている。私自身にとっては、この考えかたのほうがよっぽど難しい。

なぜ、すなおに、オルレアンの乙女の言葉をそのとおりに受けとってはならないのか。天使たちの顕現を見たというなら、顕現があったと認めてどこが悪いのか。「王冠」がアポーツされてシャルル七世にかぶされたというならば、少なくとも「現象」としてそのようなことが起こったと仮定してもよさそうなものなのに——。

せいぜい傷つくのはわれわれの合理精神のプライドであって、その鼻先ぐらいのものにすぎまい。

「象徴」という言葉自体、「ミステール」（神秘）に対する現代的解釈にすぎない。ジャンヌは、その得た超常体験について、すべて真実としてこれを語っている。文盲の田舎娘にとって「象徴」などはありえなかった。公開審査会においても、こう明言しているのだ。「私は、聖女カトリーヌと聖女マルグリットに触ったことがあります。かぐわしい香りがしました」と。これは、十九世紀から現代に至るマリア顕現の幻視者たちにとってと全く共通の体験であり、その体験とは何よりフィジカルなものであった。だからといって、彼らがぜんぶパラノイアということにはならないであろう。

フィジカルである、生きている、経験する――こういうことが分からなくなるときに、象徴だの、記号だのが生まれる。日本国民にとっては、天皇は生きている。大嘗祭による日本の神聖の体現者として。それがどういうものか分からない近代史観によってひねりだされた概念が「象徴天皇」であり、ひいてはそれが今上天皇の「生前退位」の理由にも通じているように私には思えるのだが、謬見であろうか。

「……これは大きなミステールですよ！」

ふたたび、ヴィルモラン氏の溜息が聞こえてくる。

「声」は永遠に沈黙したままなのか否か、二十世紀で閉じられたこの問いは、二十一世紀にまた開かれようとしている。

そのときには、しかし私は、自分自身が晩年に、こうしたことのすべてを確かめるべく、長いマリア巡礼の旅に出ることになろうとは想像もできなかった。

（第二巻　出遊篇おわり）

竹本忠雄

『未知よりの薔薇』全巻リスト

竹本忠雄（TAKEMOTO Tadao 1932 ～）

日仏両国語での文芸評論家。筑波大学名誉教授、コレージュ・ド・フランス元招聘教授。
東西文明間の深層の対話を基軸に、多年、アンドレ・マルローの研究者・側近として『ゴヤ論』『反回想録』などの翻訳、『マルローとの対話』などを出版、かたわら、日本文化防衛戦を提唱して欧米での反「反日」活動に従事（日英バイリンガル『再審「南京大虐殺」』等）。その途上で皇后陛下美智子さまの高雅なる御歌に開眼し、仏訳御撰歌集をパリで刊行、大いなる感動を喚起して、対立をこえた大和心の発露の使命を再確認する。
令和元年11月、仏文著書『宮本武蔵　超越のもののふ』（日本語版、勉誠出版）を機に、87歳でパリに招かれて記念講演を行い、新型コロナウィルス流行直前に帰国して、構想50余年、執筆8年で完成した『未知よりの薔薇』の米寿記念刊行に臨む。

未知(みち)よりの薔薇(ばら)　第二巻　出遊(しゅつゆう)篇

著者　竹本忠雄
発行者　吉田祐輔
発行所　㈱勉誠社
〒101-0061 東京都千代田区神田三崎町二－一八－四
電話　〇三－五二一五－九〇二一㈹

二〇二一年七月二十四日　初版発行
二〇二四年十一月八日　初版三刷発行

印刷製本　株式会社コーヤマ

ISBN978-4-585-39502-7　C0095